Como em todos os seus livros, a[...] jeto uma abordagem peculiar, dificilmente previsível. Os referenciais cuja mistura garante tal singularidade são assumidos com transparência e didatismo. O resultado é uma contribuição relevante para o aprimoramento do ideário de um evangelicalismo conservador. Um achado tornado possível pela visão evangélica do autor, e que beneficiará precisamente a reflexão dos que, sem conhecê-la, especulam com medo o que pode significar a consolidação do evangelicalismo como força cultural no país. Quanto mais circularem considerações lúcidas como as que se fazem nesta obra, menos resistirão os motivos, hoje resilientes, para afinal temermos.

ANDRÉ GOMES QUIRINO
Editor e mestre em Filosofia pela Universidade de São Paulo

Poderia falar muitas coisas sobre o autor do livro que você tem em mãos, como, por exemplo, o fato de Gutierres ser um jovem autor que tem desafiado estereótipos e que rapidamente conseguiu espaço no meio acadêmico, com livros excelentes, participação em *podcasts* de grande audiência e palestras por vários lugares deste Brasil (e fora dele), mas que nunca deixou "o chão da igreja". Suas reflexões não são descoladas da realidade, e desde os tempos do *blog* Teologia Pentecostal (e de suas aulas na Escola Bíblica Dominical da igreja local) vêm influenciando uma geração de teólogos. Eu sou leitor de Gutierres Siqueira. Convido você à leitura deste livro tão instigante para o tempo que estamos vivendo. Mesmo que se discorde do autor, trata-se de leitura necessária.

EDUARDO LEANDRO ALVES
Doutor em Teologia, diretor do CETAD-PB
e pastor na Assembleia de Deus em João Pessoa (PB)

O debate proposto por Siqueira em seu livro não é apenas urgente por estarmos prestes a nos tornar um país predominantemente evangélico. O debate também é enriquecedor porque é feito por alguém de dentro da igreja evangélica, com um conhecimento teórico e prático do pentecostalismo em toda a sua complexidade e com todos os seus paradoxos. Se temos alguma disposição em abrir um diálogo honesto e democrático a respeito dos limites e as interseções de religião e política, *Quem tem medo dos evangélicos?* é uma contribuição inestimável.

RICARDO ALEXANDRE
Jornalista e autor de *E a verdade os libertará*

O crescimento dos evangélicos no Brasil nos últimos anos tem gerado reações de diversos setores da sociedade, que vão do ufanismo ao medo. O talentoso escritor Gutierres Siqueira se afasta desses dois extremos e mostra que o avanço do segmento evangélico no país, longe de ameaçar a democracia e a laicidade, é essencial para a pluralidade política e o fortalecimento dos ideais de bem comum, núcleos das sociedades democráticas. O presente livro é altamente relevante e de leitura indispensável, para religiosos ou não, pois oferece uma habilidosa crítica social interna e importantes *insights* para responder a uma das perguntas mais importantes e urgentes do cenário nacional, mas que ainda carece da devida atenção pública.

VALMIR NASCIMENTO MILOMEM SANTOS
Doutorando em Filosofia Política, mestre em Teologia,
jurista, escritor e pastor da Assembleia de Deus

Quem tem medo dos evangélicos?

Religião e democracia no Brasil de hoje

GUTIERRES FERNANDES SIQUEIRA

Copyright © 2022 por Gutierres Fernandes Siqueira

Os textos bíblicos foram extraídos da *Nova Versão Transformadora* (NVT), da Tyndale House Foundation, salvo as seguintes indicações: *Almeida Revista e Corrigida* (RC), *Nova Almeida Atualizada* (NAA) e *Nova Tradução na Linguagem de Hoje* (NTLH), da Sociedade Bíblica do Brasil; e *Nova Versão Internacional* (NVI), da Bíblica, Inc.

Todos os direitos reservados e protegidos pela Lei 9.610, de 19/02/1998.

É expressamente proibida a reprodução total ou parcial deste livro, por quaisquer meios (eletrônicos, mecânicos, fotográficos, gravação e outros), sem prévia autorização, por escrito, da editora.

Edição
Daniel Faria

Revisão
Natália Custódio

Produção e diagramação
Felipe Marques

Colaboração
Ana Luiza Ferreira
Marina Timm
Ricardo Shoji

Capa
Jonatas Belan

CIP-Brasil. Catalogação na publicação
Sindicato Nacional dos Editores de Livros, RJ

S63q

    Siqueira, Gutierres Fernandes-
    Quem tem medo dos evangélicos? : religião e democracia no Brasil de hoje / Gutierres Fernandes Siqueira. - 1. ed. - São Paulo : Mundo Cristão, 2022.
    128 p.

    ISBN 978-65-5988-129-1

    1. Cristianismo e sociedade. 2. Vida cristã. 3. Evangelicalismo. I. Título.

22-78244

CDD: 248.4
CDU: 27-584

Gabriela Faray Ferreira Lopes - Bibliotecária - CRB-7/6643

Publicado no Brasil com todos os direitos reservados por:

Editora Mundo Cristão
Rua Antônio Carlos Tacconi, 69
São Paulo, SP, Brasil
CEP 04810-020
Telefone: (11) 2127-4147
www.mundocristao.com.br

Categoria: Cristianismo e sociedade
1ª edição: agosto de 2022 | 1ª reimpressão: 2023

Dedico à minha avó, Maria Janete Fernandes (1935–2021),
uma legítima evangélica.

Sumário

Prefácio	9
Agradecimentos	13
Introdução	15
1. O que é ser evangélico	25
2. Entre o conservadorismo e o progressismo	45
3. O mito da nação cristã	61
4. O novo gnosticismo	83
5. Por que e como os evangélicos devem fazer política	99
Conclusão: O legado evangélico	117
Sobre o autor	127

Prefácio

Como os integrantes de uma nação democrática se comportam politicamente além das eleições? Com base nessa indagação, os professores Gabriel Almond e Sidney Verba desenvolveram uma ampla pesquisa sobre a cultura política nos Estados Unidos, Inglaterra, Alemanha, Itália e México. Os resultados foram publicados na obra *The Civic Culture* [A cultura cívica], em 1963. Através de estatísticas, análises comparadas, observação de padrões comportamentais e ferramentas da psicologia social, os dois autores concluíram que existem três níveis de racionalidade e consciência política: o nível cognitivo envolve os conhecimentos e as crenças dos indivíduos sobre os diferentes objetos políticos; o nível afetivo engloba os sentimentos de ligação e envolvimento dos indivíduos em relação aos objetos políticos; e o nível avaliativo envolve a capacidade dos indivíduos de julgar criticamente os objetos políticos.

Além disso, a matriz analítica de Almond e Verba estabelece três tipos de cultura política. A primeira é a cultura política paroquial: nela o indivíduo não conhece o sistema político, ou seja, desconhece as formas de manifestação política, os órgãos burocráticos e seu papel como ator político, estando alienado e alheio ao funcionamento político. A segunda é a cultura política sujeita: nela o indivíduo conhece as possibilidades de participação política, os aparatos burocráticos e as regras do jogo, mas não entende a si próprio como ator político, tornando-se passivo, em condição de sujeição ao sistema

10 QUEM TEM MEDO DOS EVANGÉLICOS?

político. A terceira é a cultura política participativa: nela o indivíduo compreende integralmente o funcionamento do sistema político no qual está inserido, bem como a sua própria importância como ator político, o que gera uma cidadania ativa, atuante, participativa.

Essa matriz analítica proposta por Almond e Verba foi uma inovação importante para os estudos acadêmicos do fenômeno político, pois interrompeu a ênfase dos pesquisadores em geral sobre o ponto de vista institucional, demonstrando como poderiam ser produtivas as análises realizadas a partir do comportamento dos indivíduos. Após uma série de críticas, reavaliações e melhorias conceituais, o trabalho foi refinado na obra *The Civic Culture Revisited*, de 1980. A partir daí, autores como Ronald Inglehart, Larry Diamond e Robert Putnam desenvolveram novas linhas de pesquisa dando maior amplitude e profundidade ao campo da "cultura política". As implicações atuais desses estudos revelam que as nações com índices superiores de desenvolvimento humano como Noruega, Suíça e Suécia apresentam, entre outras, as seguintes marcas: compromisso de longo prazo com as instituições democráticas, participação cívica nos assuntos públicos, igualdade política, existência de associações sociais e políticas, e índices superiores de solidariedade, tolerância e confiança interpessoal. São marcas a serem desenvolvidas pelas jovens democracias — como é o caso da brasileira.

Quem tem medo dos evangélicos? é um ensaio que procura investigar o impacto que os evangélicos causarão na cultura política brasileira. A obra resulta do esforço reflexivo de Gutierres Fernandes Siqueira sobre um conjunto de questões pulsantes nas rodas de conversas brasileiras neste início de século 21: Por que os evangélicos não param de crescer numericamente?

PREFÁCIO **11**

Como será o Brasil de maioria evangélica? Que tipo de evangélico é o evangélico brasileiro? Observador atento e inquieto, Gutierres absorve perguntas feitas na rua, na mídia, na universidade e nas redes sociais em geral e passa a examiná-las sobretudo à luz de conceitos acadêmicos, artefatos culturais, estatísticas censitárias e argumentos bíblico-teológicos de orientação evangélica. Como explicita em sua introdução, o autor apresenta suas ideias como evangélico que é, buscando amparo para seu raciocínio em autores como C. S. Lewis, John Stott, N. T. Wright e Miroslav Volf.

O ensaio parte do esclarecimento conceitual em torno do termo "evangélico". Gutierres tem uma escrita fluida e informa de modo didático e acessível as diferentes acepções que "evangélico" recebeu no curso dos séculos. Feitas as devidas delimitações semânticas, o ensaio prossegue com um combate em duas frentes. De um lado, Gutierres combate o preconceito de não evangélicos com os evangélicos brasileiros. Afinal, os evangélicos são uma ameaça à ordem democrática? O autor argumenta que não: a tradição política brasileira era autoritária muito antes dos evangélicos. E ele está coberto de razão. É muito ingênuo colocar na conta desse grupo o viés autoritário do jogo político nacional. Obras simples como *Cidadania no Brasil*, de José Murilo de Carvalho, ou *Sobre o autoritarismo brasileiro*, de Lilia Schwarcz, são suficientes para informar-nos sobre a baixa tradição democrática do Brasil. Assim, Gutierres é muito feliz ao afirmar que, se há uma inclinação antidemocrática em uma parcela dos evangélicos brasileiros, isso é porque são *brasileiros*, antes do fato de serem evangélicos. Em mais de quinhentos anos de formação do Estado administrativo brasileiro, apenas em poucas décadas prevaleceu o regime democrático.

12 QUEM TEM MEDO DOS EVANGÉLICOS?

De outro lado, Gutierres combate posturas, práticas e superstições que os evangélicos brasileiros sustentam. O autor expõe as inconsistências teóricas e práticas em reduzir o evangelho às teses contemporâneas conservadoras ou progressistas, e faz um ataque frontal à irracionalidade e cafonice de teorias da conspiração que ganham espaço na comunidade evangélica. Nesse campo, *Quem tem medo dos evangélicos?* entrega páginas preciosas: Gutierres Siqueira arrebenta o mito da "nação cristã" mostrando que a cidadania cristã não pertence a esta terra.

No meio da pandemia covídica, tive a alegria de conversar em uma *live* com o Gutierres sobre teologia pública e presença evangélica na cultura brasileira. Agora, na apresentação desta obra, publicada com esmero pela Editora Mundo Cristão, repito aqui o que afirmamos lá: compromisso com o Brasil exige compromisso com a fraternidade social. Sem a articulação de um discurso político decente, que parta de uma noção clara de bem comum, os supostos "projetos de nação" papagueados nas salas políticas não passam de bravatas para agradar grupelhos partidários ensimesmados. Nenhuma nação prospera com bases sociais tão divididas. A lição é básica: são os elementos comuns que fundam a possibilidade da convivência e do desenvolvimento.

DAVI LAGO
Mestre em Teoria do Direito
e autor de *Brasil polifônico* e *Ame o seu próximo*

Agradecimentos

Em primeiro lugar, agradeço a Deus pela oportunidade de escrever mais um livro. Agradeço, também, ao meu grande amigo André Gomes Quirino, que fez preciosas críticas e sugestões, das quais muitas foram acatadas. Ao ler as observações sobre problemas do texto me lembrei da passagem bíblica em Provérbios 27.5: "É melhor a crítica franca do que o amor sem franqueza" (NTLH). Agradeço ao Daniel Faria, editor da Mundo Cristão, pela eficiência e acompanhamento na construção do livro. Agradeço ao amigo Davi Lago pela generosidade do prefácio. E, por fim, agradeço a você, leitor, que é a razão do nosso trabalho.

Introdução

Este livro nasceu de uma inquietação. Em 2007, quando eu ainda estava no primeiro ano da faculdade de jornalismo, minha professora de filosofia sussurrou com ar de gravidade que a democracia brasileira corria um grande risco, a saber, a ascensão dos evangélicos no Congresso Nacional. À época eu tinha 18 anos e não nutria nenhuma simpatia pela assim chamada "bancada evangélica" (nem nutro hoje), mas o tom alarmista da professora me incomodou. Naquele momento levantei a mão, identifiquei-me como evangélico e perguntei por que razão a docente nos enxergava como um risco à democracia brasileira. A professora desconversou e disse que havia "evangélicos e evangélicos", mudando de assunto logo em seguida.

Não escrevo esse breve relato para demonizar a instituição universitária como uma espécie de "comitê de perseguição contra o cristianismo evangélico". Certamente é exagero cômico falar em perseguição religiosa aos evangélicos no Brasil. Somos um dos países com maior liberdade de culto do mundo. Infelizmente, porém, é inegável o preconceito que parte da elite pensante brasileira nutre contra esse grupo. Perseguição não existe, mas o preconceito é evidente e está fora do escopo das pautas identitárias — muito embora os evangélicos sejam "pretos, pobres, mulatos e quase brancos", para citar a expressão imortalizada na música "Haiti", de Caetano Veloso e Gilberto Gil.

16 QUEM TEM MEDO DOS EVANGÉLICOS?

Colocar sobre os evangélicos a culpa pela qualidade deteriorada da democracia brasileira contemporânea é grande injustiça. Esse é um dos eixos deste livro. O Brasil tem uma longa tradição autoritária, e essa tradição não nasceu com os evangélicos. Colonização (1500–1808), escravidão (1550–1888), ditadura do Estado Novo (1937–1945) e ditadura do Regime Militar (1964–1985), entre outros momentos pontuais, mostram a força histórica do autoritarismo em nossa pátria. O Brasil já teve sete constituições desde a Independência (1824, 1891, 1934, 1937, 1946, 1967 e 1988), ou seja, sete novos pactos nacionais depois de períodos de crise e ruptura. Olhando em perspectiva histórica, a democracia no Brasil é uma anormalidade. Minha tese é ousada, mas acredito que o crescimento evangélico tende a melhorar a democracia brasileira — mais pelos vícios dos evangélicos do que por sua capacidade de conscientização política.

Um ponto esquecido na histeria do debate sobre os evangélicos no poder é que tudo no Brasil passa pela mediação do Estado. "Fora do poder não há salvação", dizia o político mineiro Benedito Valadares, em frase que resume bem o Brasil. Nada escapa do Estado pela sedução do poder político: intelectuais, artistas, sindicalistas, empresários e, também, líderes religiosos. De modo geral, o grande empresário não deseja livre mercado, mas sim a proteção do Estado para seu monopólio ou o financiamento público de seu jatinho. O intelectual quer estabilidade no emprego garantida pelo Estado, nem que para isso se torne um pensador orgânico, um porta-voz do poder. O sindicalista almeja o financiamento estatal de suas atividades. O sociólogo Simon Schwartzman resume esse quadro: "O Brasil nunca teve uma nobreza digna deste nome, a Igreja foi quase sempre submissa ao poder civil, os ricos geralmente

INTRODUÇÃO 17

dependeram dos favores do Estado e os pobres, de sua magnanimidade".[1] Todos sugam e são sugados pelo Estado. Por que alguém imaginaria que as lideranças religiosas escapariam dessa lógica? Em um país onde o Estado permeia todas as relações sociais, a neutralidade do Estado é quase uma utopia. Outro eixo deste livro, portanto, é que os evangélicos tomam parte no patrimonialismo e na baixa cultura democrática, mas não são os pais da criança.

Antes de avançarmos no tema propriamente, vejo a necessidade de esclarecer alguns pontos:

- Este livro é escrito por um evangélico — um evangélico pentecostal. Durante parte da infância frequentei com minha mãe algumas missas do catolicismo carismático na Diocese de Santo Amaro, na capital paulista. Minha conversão ao movimento evangélico aconteceu numa Igreja Assembleia de Deus ainda na adolescência, quando morei durante quatro anos em uma pequena cidade interiorana de 14 mil habitantes chamada Fortuna, na região central do Maranhão, o estado mais pobre do Brasil. Ao voltar para a capital paulista depois dessa temporada no Nordeste, passei a frequentar como membro uma pequena congregação da mesma denominação no distrito do Grajaú, bairro de periferia da Zona Sul de São Paulo, e lá fiquei durante doze anos. Hoje estou numa Assembleia de Deus no Butantã, bairro de classe média da Zona Oeste da capital paulista. Acredito que minha experiência no interior do Nordeste, assim como

[1] Simon Schwartzman, *Bases do autoritarismo brasileiro*, 4ª ed. (Rio de Janeiro: Publit Soluções Editoriais, 2007), p. 11.

18 QUEM TEM MEDO DOS EVANGÉLICOS?

no ambiente urbano periférico e de classe média de São Paulo, me ajudou (e me ajuda) a ter uma visão ampliada do povo evangélico, e pentecostal em particular.

- Esta não é uma obra acadêmica, embora dialogue com teorias acadêmicas. O que o leitor tem em mãos é um ensaio. Cabe ressaltar, porém, que embora seja um ensaio opinativo, não é uma opinião sem lastro teórico. Como texto ensaístico, naturalmente não pretendo esgotar o assunto. Evitarei ao máximo citações de outros autores, ainda que indique, quando necessário, as fontes de minhas teses. O livro usará dados de pesquisas de institutos respeitados e reconhecidos na academia e na imprensa, e os dados bibliográficos estarão disponíveis para consulta nas notas de rodapé. Com isso quero evitar a crítica apressada de que o livro é baseado em achismos e teorias exóticas do autor. De todo modo, obviamente, tudo o que escrevo está sujeito ao escrutínio do leitor leigo e do leitor acadêmico.

- Não sou sociólogo nem cientista da religião. Sou jornalista de formação e teólogo de especialização. Outro campo de especialização que tenho é em economia e finanças — área que influencia uma das teses centrais do livro. Os jornalistas são generalistas por natureza, além de tradutores da linguagem técnica e acadêmica para o leitor comum. Todavia, como diz o ditado italiano, o tradutor é um traidor. Reconheço meus limites, mas espero contribuir com o debate público. Aos acadêmicos, normalmente intolerantes com gente atrevida como eu, já peço mil escusas.

- Este livro pode e deve ser lido tanto pelo público evangélico como pelo público não evangélico. Os evangélicos entenderão as implicações políticas e sociológicas de sua manifestação de fé e lerão uma reflexão bíblico-teológica sobre o papel público dos evangélicos, enquanto os não evangélicos terão a oportunidade de entender um pouco desse universo complexo da religiosidade brasileira.

- O livro tem dois tons: descritivo e exortativo. Em alguns momentos faço uma descrição do mundo evangélico e explico como esse mundo funciona. A descrição não é nem endosso nem crítica, mas procura ser apenas e tão somente o desenho dos fatos. Em outros momentos, meu tom é de exortação, como um encorajamento para mudanças. Caso o leitor busque neste livro uma defesa cega dos evangélicos ou um ressentimento antirreligioso contra esse grupo, é melhor nem continuar a leitura. O livro dança entre a crítica e a defesa apaixonada.

No decorrer do texto, algumas teses centrais que permeiam o livro se destacarão:

- Os evangélicos não podem ser tratados como cidadãos de segunda classe. Os evangélicos podem e devem se envolver no ambiente político e nas entranhas do Estado. Afinal, são também cidadãos pagantes de impostos a César. Tolher direitos políticos com base em preconceito de crença religiosa é anticonstitucional, antidemocrático, antiliberal e, naturalmente, fere os direitos humanos mais básicos.
- Os evangélicos não são objeto de perseguição no Brasil. O país desfruta de uma rica liberdade religiosa. Mas o preconceito da elite cultural contra o evangélico é inegável — e parte desse preconceito se assemelha ao velho

preconceito de classe social, já que os evangélicos são majoritariamente pobres e periféricos. O preconceito, também, é parte do velho ranço racionalista contra a religião, resultado do positivismo que esteve presente na formação das elites brasileiras.

- Os evangélicos não são uma ameaça direta ao Estado democrático de direito porque apresentam demandas sociais — além de virtudes e vícios — bastante alinhadas às da população brasileira geral. Se os evangélicos apoiam o autoritarismo e demonstram uma cultura democrática fraca, assim o fazem não porque são evangélicos, mas porque são brasileiros. Sob as atuais condições institucionais, a democracia brasileira estaria em risco mesmo se toda a população evangélica fosse arrebatada para o céu da noite para o dia.

- O crescimento evangélico não tornará o Brasil um "Talibã *gospel*". Os evangélicos são fragmentados, divididos e concorrentes uns dos outros — e sem um poder central não existe regime totalitário. Os evangélicos disputam entre si, e a concorrência ajuda em seu crescimento de mercado, embora a união cada vez maior com o Estado tenda, no longo prazo, a travar esse crescimento e até diminuí-lo. Todo nicho de mercado que recebe proteção do Estado perde dinamismo no decorrer do tempo. Apesar da aparente unidade em temas sociais — como a oposição ao aborto, por exemplo — cada grupo evangélico tem seu próprio projeto de poder que, uma hora ou outra, conflitará com seus pares religiosos.

- Quem pensa que o crescimento evangélico produzirá uma cultura puritana anglo-saxã no Brasil não conhece nada do evangélico brasileiro. Por exemplo, embora no

INTRODUÇÃO **21**

discurso grande parte dos evangélicos seja contra o Carnaval, que é parte da identidade brasileira, as marchinhas carnavalescas estão presentes em hinos evangélicos antigos e contemporâneos. Ritmos "vulgares" e "mundanos" como o sertanejo, o forró, o carimbó e o *funk* são abundantemente usados em músicas evangélicas — mesmo nas igrejas mais conservadoras. Os cultos pentecostais em igrejas pequenas das periferias preservavam liturgias de corporeidade em "danças no espírito" e experiências de êxtase que aproximam essa cultura religiosa das religiosidades animistas que aqui já existiam. Não faço neste parágrafo um juízo de valor, mas apenas a descrição de um fato: o evangélico brasileiro é bem brasileiro e dificilmente se tornará o estereótipo do protestante de país desenvolvido — com exceção, talvez, do espírito empreendedor em matéria econômica. A assimilação dos elementos da cultura nacional, obviamente, não torna os evangélicos arautos da tolerância e do pluralismo, mas impede — involuntariamente — o "purismo" totalitário.

• A democracia é um conjunto de valores e instituições que garante a pluralidade, a liberdade e a convivência pacífica em sociedade. Não se resume a eleições esporádicas. A democracia, neste livro, sempre será sinônimo de liberdade de imprensa, crença, opinião e expressão, assim como a defesa do Estado democrático de direito e do império da lei. A democracia também engloba a eleição de representantes, a pluralidade de partidos, a separação de poderes, a transparência dos agentes públicos e a alternância de poder. A democracia é o modelo mais adequado de ordem pública porque lida realisticamente

22 QUEM TEM MEDO DOS EVANGÉLICOS?

com a inclinação maléfica da natureza humana. O democrata tem a consciência de que o poder nunca pode ficar nas mãos de um indivíduo (totalitarismo ou autoritarismo) ou de um grupo pequeno de indivíduos (aristocracia), mas deve ser pulverizado em um regime de freios e contrapesos. Apenas e tão somente Jesus Cristo tem todo o poder nos céus e na terra — e todo aquele que se coloca como autocrata usurpa a divindade do Alfa e Ômega. Na cidade dos homens, o poder deve sempre ser compartilhado.

- Um Brasil evangélico tende a ser um país mais secular. Por secularização refiro-me a uma religiosidade que se envolve com o presente século, uma religiosidade aculturada, que não nega o mundo e seus valores. O Brasil cada vez mais evangélico tende a ser cada vez mais mundano, para usar uma linguagem própria dos evangélicos. A grandeza da igreja evangélica será, ao mesmo tempo, sua fraqueza. Essa é uma notícia boa para quem tem medo de uma fantasiosa teocracia evangélica, mas é um alerta ao evangélico que ama o evangelho: cada vez que se torna maioria e a porta estreita é alargada, a igreja pode até ganhar respeito, mas perde a vida do Espírito. Na história do cristianismo, quantidade raramente pode ser lida como sinônimo de qualidade. Que o Senhor nos dê um avivamento antes da completude dessa mundanidade.

- Um Brasil evangélico, e especialmente evangélico pentecostal, é um Brasil em um encontro consigo mesmo. É o Brasil da imaginação e da criatividade, e não da racionalização fria e distante. É o Brasil da corporeidade que abraça em afeto e gesticula em impulsividade. É o Brasil caótico, mas alegre. É o Brasil da ordem desordeira, que se encanta com o pouco, em um contentamento que deixaria o apóstolo Paulo feliz: "Sei viver na necessidade e também na fartura. Aprendi o segredo de viver em qualquer situação, de estômago cheio ou vazio, com pouco ou muito" (Fp 4.12). O Brasil evangélico não é sofisticado, muitas vezes beira o *kitsch*, mas está em constante inovação. É o Brasil festeiro, apesar dos pesares. O Brasil evangélico é o Brasil dos profetas — homens e mulheres ousados e valentes, mas também vulneráveis e levados por emoções turbulentas. O Brasil evangélico tem a sua própria glossolalia em um português permeado de expressões ameríndias e africanas. O Brasil evangélico é o Brasil desnudado. O evangelicalismo brasileiro é o protestantismo tropical. Se parte da democracia passa pelo fortalecimento das raízes culturais e nacionais, o Brasil evangélico está no caminho certo, aos trancos e barrancos.

- Por fim, a baixa cultura política democrática dos evangélicos — levados em massa às teorias conspiratórias e ao fenômeno da pós-verdade em um espírito autoritário — não é novidade em um país com baixa cultura política democrática. Se o problema fosse apenas dos evangélicos seríamos a nação mais bem-aventurada do mundo. Os valores da democracia liberal não são e nunca foram populares no Brasil — as instituições funcionam, mas funcionam mal. O patrimonialismo é o pecado predileto da esquerda e da direita. O personalismo e o populismo marcam permanentemente a história do país. Em economia, estamos presos na armadilha da renda média com baixa produtividade, pouco capital humano qualificado e educação sofrível. O Brasil é abençoado por Deus e bonito por natureza, é alegre e festivo, é grande e tem um potencial incrível, mas opera mal e é cronicamente desorganizado. A igreja evangélica brasileira é a cara "cuspida e lavada" do Brasil. Os evangélicos não devem ser vistos como o bode expiatório da crítica à democracia brasileira. A bagunça já estava aí quando chegamos.

Minha expectativa é que este livro sirva como ferramenta de conhecimento sobre o universo evangélico — sem preconceitos e generalizações rasas. Os evangélicos não são nem anjos nem demônios. Sim, apenas quem nega a realidade pode deixar de observar que existe hoje no Brasil um projeto de poder religioso autoritário, mas, como convido o leitor a pensar, o autoritarismo do evangelicalismo brasileiro é parte da nação que construímos. Se desejamos um país mais democrático, devemos olhar para o espelho da alma nacional; a busca de um bode expiatório não é o caminho mais inteligente.

1
O que é ser evangélico

Em *Central do Brasil*, premiado e excelente filme de 1998 dirigido pelo cineasta Walter Salles, há uma cena representativa da dificuldade que a elite cultural brasileira (artistas, jornalistas, intelectuais, acadêmicos etc.) tem em entender o universo evangélico nacional. Os personagens principais, a professora Dora (Fernanda Montenegro) e o menino Josué (Vinícius de Oliveira) pegam carona com o caminhoneiro César (Othon Bastos). Em uma cena que se passa dentro de um restaurante simples numa estrada empoeirada do sertão, o caminhoneiro se identifica como evangélico depois de recusar um copo de cerveja oferecido por Dora. O curioso é que o caminhoneiro carrega colado em seu veículo um grande adesivo do Sagrado Coração de Jesus, imagem típica e característica da devoção católica. O evangélico brasileiro, marcadamente iconoclasta, jamais colocaria em seu veículo um adesivo parecido.

Na década de 1990, quando as novelas e filmes nacionais começaram a inserir em suas tramas algum personagem evangélico, este quase sempre era trapaceiro ou sexualmente depravado. Na minissérie *Decadência*, de Dias Gomes, transmitida em 1995 pela Rede Globo, o pastor Mariel Batista (Edson Celulari) é o sujeito sem ética que fica milionário após fundar uma igreja. O líder religioso encontra seu contraponto no enredo em Carla Tavares Branco (Adriana Esteves), que é militante do Partido dos Trabalhadores (PT)

26 QUEM TEM MEDO DOS EVANGÉLICOS?

e crítica das falcatruas do pastor Mariel. O roteiro padrão não podia ser mais clichê: a progressista ética que se opõe ao religioso hipócrita. (Na mesma década, para efeito de comparação, novelas como *A viagem* e *Anjo de mim* apresentavam aos telespectadores temáticas do espiritismo kardecista de forma positiva e respeitosa.) A dramaturgia, obviamente, não tem o dever de retratar a realidade, mas as escolhas mostram os vieses de diretores, redatores e roteiristas, nos quais o evangélico não raro é um carola preconceituoso, ignorante e falso.

O problema de retratação não está apenas nas novelas e filmes, mas também no jornalismo. Na imprensa — até hoje — não é incomum o uso de verbos como "rezar" e "benzer" para práticas litúrgicas evangélicas, ou o uso da palavra "missa" para designar cultos. Em geral, a temática evangélica só aparece nos grandes jornais dentro dos editoriais de política e crimes. É raro o evangélico ser objeto de pauta nos cadernos culturais — muito embora a igreja evangélica seja um celeiro de artistas, especialmente músicos. Ciente desse problema, alguns meios de comunicação começaram a abrir espaço para pastores falarem na grande mídia, mas, quase sempre, os entrevistados escolhidos são pastores politicamente progressistas e marcadamente secularizados. Embora a participação seja relevante, trata-se do tipo de pastor "palatável", que fala a mesma língua da elite cultural, mas que passa longe de representar uma massa evangélica que, ao menos do ponto de vista social, é majoritariamente conservadora.[1] É um espaço dado a iguais.

---

[1] A exemplo do brasileiro médio, o evangélico tende a ser conservador nos costumes, mas progressista quanto ao papel do Estado na economia.

O QUE É SER EVANGÉLICO 27

Outro aspecto do desconhecimento preconceituoso é a forte ênfase no chamado "voto evangélico", como se os evangélicos votassem em bloco motivados tão somente pelo viés religioso. Os evangélicos também decidem o voto como os demais cidadãos, levando em conta dados e prospecções subjetivas sobre economia, inflação, saúde, segurança pública, educação e tantos outros assuntos. Em 2012, o Datafolha realizou uma pesquisa em plena Marcha para Jesus, um evento frequentado pelo evangélico mais, digamos, festivo. Não é o tipo de lugar que os evangélicos mais intelectualizados frequentam. Na pesquisa, quando perguntados se a indicação do pastor é levada em consideração na hora de escolher um candidato, 31% disseram que seguem a indicação "com certeza", enquanto outros 34% disseram que "talvez". O mais curioso é que 33% declararam que não votariam num candidato apoiado pela igreja.[2]

A desconexão é social

O historiador britânico do século 18 Edward Gibbon é conhecido por sua monumental obra *Declínio e queda do Império Romano*. Em uma passagem sobre a ascensão do cristianismo — a religião das criadas e dos escravos — descreveu:

Enquanto esse grande organismo (Império Romano) era invadido pela violência sem freios ou minado pela lenta decadência, uma religião pura e humilde se foi brandamente insinuando na mente dos homens, crescendo no silêncio e na obscuridade; da

[2]Carmen Munari, "31% dos fiéis da Marcha para Jesus votariam no candidato do pastor", *Valor Econômico*, 16 de julho de 2012, <https://valor.globo.com/noticia/2012/07/16/31-dos-fieis-da-marcha-para-jesus-votariam-no-candidato-do-pastor.ghtml>. Acesso em 25 de abril de 2022.

28 QUEM TEM MEDO DOS EVANGÉLICOS?

oposição, tirou ela novo vigor para finalmente erguer a bandeira triunfante da Cruz por sobre as ruínas do Capitólio.[3]

Essa é também, anacronicamente, a descrição do movimento evangélico brasileiro. Trata-se de um fenômeno sobretudo periférico, relativamente novo e distante dos centros de poder cultural e econômico, embora esteja cada vez mais próximo do poder político. A Igreja Católica no Brasil nasceu como a religião do Estado, enquanto o movimento evangélico veio silenciosamente de baixo e se desenvolveu, principalmente em sua face mais numerosa, que é a pentecostal, entre os mais pobres. Em contrapartida, o budismo, as religiões orientais e o espiritismo kardecista são fenômenos de classe média alta. Nas ruas menos glamorosas das grandes cidades brasileiras o que não faltam são bares, *pizzarias*, salões de beleza e igrejas evangélicas — e todos esses empreendimentos falam dos anseios dos mais pobres (bebida, comida, beleza e fé). Enquanto isso, nas áreas nobres das grandes cidades brasileiras, é difícil encontrar uma igreja evangélica, especialmente pentecostal.

Eis o paradoxo: o evangélico é alguém que está próximo e distante ao mesmo tempo. É aquele típico fenômeno de que todos já ouviram falar e do qual todos possuem uma opinião, mas sobre o qual ninguém entende exatamente do que está falando. Hoje todos conhecem evangélicos na política e até alguns pastores midiáticos, mas apesar da crescente presença evangélica no noticiário o movimento evangélico é um gigante desconhecido pelo simples fato de que a maioria esmagadora dos evangélicos é pobre.

[3]Edward Gibbon, *Os cristãos e a queda de Roma* (São Paulo: Penguin/Companhia das Letras, 2012), p. 18.

O QUE É SER EVANGÉLICO **29**

Essa desconexão entre a elite cultural e os evangélicos encontra uma explicação clara na desigualdade social. O fenômeno do "distante e próximo ao mesmo tempo" não nasceu com os evangélicos; antes, é parte da constituição das relações de poder econômico do Brasil. O rico brasileiro está próximo do pobre apenas quando necessita de prestadores de serviço (empregada doméstica, atendente, porteiro, segurança, motoboy etc.), mas ambos habitam universos completamente distintos. A desigualdade é tão grande que já ouvi de um estrangeiro europeu que os ricos do Brasil são mais luxuosos que os ricos da Europa, enquanto os pobres brasileiros são mais miseráveis que os pobres europeus. O abismo que separa o mundo dos ricos e dos pobres é também religioso. É impossível falar da ignorância da elite cultural e econômica brasileira a respeito dos evangélicos sem pensar um pouco sobre a desigualdade brasileira — que é gigante e imoral. Certa dose de preconceito contra os evangélicos é preconceito de classe. Os evangélicos são vistos ou como pobres coitados manipulados pelos terríveis televangelistas ou como um bando de perigosos fundamentalistas fanáticos que deveriam ser objeto de censura.

Outro fator de ignorância é a desproporcionalidade da abordagem da imprensa ao fenômeno evangélico. Por muitos anos, a Igreja Universal do Reino de Deus (IURD), fundada pelo bispo Edir Macedo em 1977, foi a "cara" dos evangélicos na mídia e na academia. Embora seja a terceira denominação mais numerosa do país segundo o Censo de 2010, ficando atrás das Assembleias de Deus (ADs) e da Congregação Cristã do Brasil (CCB),[4] a igreja do bispo Macedo

---

[4]Instituto Brasileiro de Geografia e Estatística (IBGE), Censo Demográfico de 2010, <https://biblioteca.ibge.gov.br/visualizacao/periodicos/94/cd_2010_religiao_deficiencia.pdf>. Acesso em 25 de abril de 2022.

30 QUEM TEM MEDO DOS EVANGÉLICOS?

tomou um espaço desproporcional nas discussões sobre os evangélicos entre jornalistas e acadêmicos. Quem lesse os jornais nas últimas décadas ficaria com a impressão de que ser evangélico era o mesmo que frequentar a IURD. Em parte, isso se explica pela presença abundante da IURD na televisão, quando a televisão ainda era o principal meio de comunicação no Brasil.

Em uma busca no arquivo da *Folha de S. Paulo*, o principal jornal do país, encontramos 673 mil menções à Igreja Universal do Reino de Deus em notícias e artigos do diário paulista contra 600 menções às Assembleias de Deus. No acervo do jornal *O Globo*, há aproximadamente cinco mil menções à IURD contra 2.900 menções às ADs. No acervo do *Estadão* não é diferente: as ADs têm 1900 menções, enquanto a IURD tem quase cinco mil.[5] Embora a IURD seja uma igreja grande e importante no segmento, ela não é a faceta mais representativa do movimento evangélico. Pelo contrário, a IURD é uma igreja relativamente isolada no segmento. É comum, por exemplo, pastores presbiterianos pregarem nas Assembleias de Deus ou cantores batistas tocarem em cultos de igrejas carismáticas independentes, ao passo que a IURD é uma igreja isolada que não compartilha seu púlpito com pregadores e cantores de outras denominações. Os acadêmicos e jornalistas que olham

[5] As pesquisas nos acervos foram feitas em 4 de abril de 2022. Os números são aproximados. No caso da Igreja Universal, trata-se da soma aproximada das buscas pelo termo "Igreja Universal do Reino de Deus" e pela sigla "IURD". No caso da Assembleia de Deus, a busca foi pelo termo no singular "Assembleia de Deus" e no plural "Assembleias de Deus". Em todos os jornais, a busca aconteceu pelo campo "expressão ou frase exata" e não a partir de soma de palavras — o que claramente distorceria a pesquisa efetuada.

e estudam apenas a IURD estão vendo uma faceta relativamente pequena do mundo evangélico.

O nascimento da marca "igreja evangélica"

O movimento evangélico, ou evangelicalismo, é uma expressão religiosa difusa que deriva do protestantismo. Todo evangélico (ou *evangelical*, no contexto norte-americano) é protestante, mas nem todo protestante é evangélico. Embora no Brasil as palavras "evangélicos" e "protestantes" sejam lidas como sinônimos, neste livro farei uma diferenciação entre os dois grupos, seguindo o consenso acadêmico sobre o termo. O movimento evangélico é a face mais popular, midiática e conservadora do protestantismo. É um fenômeno de religiosidade popular, que abarca crenças, rituais e liturgias que deixariam os reformadores europeus escandalizados.

Como marco histórico, a data-chave do nascimento do movimento evangélico é o ano de 1846. Nessa data, aconteceu um evento na Grã-Bretanha chamado Evangelical Alliance, que reuniu diversas igrejas protestantes inglesas visando a cooperação missionária e a quebra do centralismo da igreja estatal. Mas as raízes são longas e variadas. Na história do protestantismo, o termo "evangélico" é polissêmico. Ainda no século 16, evangélico equivalia a luterano. Os luteranos foram chamados de "evangélicos" antes de serem chamados de "protestantes". Enquanto os luteranos se autoidentificavam como "evangélicos", os proponentes da Reforma suíça (João Calvino e Ulrico Zuínglio) se denominavam "reformados". Nas Ilhas Britânicas, a Reforma inglesa não era chamada nem de evangélica nem de reformada, mas de anglicana. Esse sentido se mantém até hoje na Europa.

32 QUEM TEM MEDO DOS EVANGÉLICOS?

Movimento	Evangélico	Reformado	Anglicano	Anabatista
Fases da Reforma Protestante	Primeira Reforma ou Reforma Luterana	Segunda Reforma ou Reforma Suíça	Reforma Inglesa	Reforma Radical
Ano-chave	1517	1520	1534	1535
Figuras-chave	Martinho Lutero	João Calvino e Ulrico Zuínglio	Henrique VIII	Thomas Müntzer e Andreas Karlstadt
País de origem	Alemanha	Suíça	Inglaterra	Alemanha e Suíça

O século 18 europeu, conhecido como "século das luzes" em vista do advento do racionalismo, teve na Inglaterra e no outro lado do Atlântico Norte um rival. Com o Primeiro Grande Despertar (1730–1740), uma série de avivamentos na Grã-Bretanha e nas trezes colônias norte-americanas mudou o horizonte da religiosidade anglo-saxã, e a palavra "evangélico" começou a adquirir o sentido que conhecemos hoje: protestantes com forte ênfase na evangelização de massas e na piedade individual. A crença, ou melhor, a experiência-chave dessa fé evangélica é o *novo nascimento*. Até hoje os evangélicos nos Estados Unidos se identificam como *born again*, "nascidos de novo". Esses protestantes difeririam do protestantismo principal (*mainline*), a vertente mais focada na aculturação diante da modernidade iluminista e na manifestação de fé sacramental. Com a ênfase no novo nascimento e na fé individual, o evangélico era uma

O QUE É SER EVANGÉLICO **33**

versão religiosa do homem moderno: alguém cujo *ethos* é individualista e que relativiza a filiação confessional.

No século 19, no auge dos debates em torno da teologia liberal alemã — uma versão iluminista e racionalista de fé protestante —, os evangélicos abraçaram com força o conceito de inerrância do texto bíblico. Teólogos como Charles Hodge e B. B. Warfield foram os grandes responsáveis pela formação da teologia evangélica em torno da Bíblia como Palavra de Deus sem erros morais, doutrinários, geográficos, históricos, científicos ou de qualquer outra natureza. A inerrância bíblica ganhou *status* de verdade central da fé evangélica. Já herdeiros do lema *Sola Scriptura* (somente a Escritura) da Reforma protestante, os evangélicos reforçaram o papel da Bíblia como o centro da espiritualidade evangélica.

Com isso, a palavra "evangélico" ganhou no século 20 mais um sentido: protestantes conservadores que não compartilhavam nem do racionalismo modernista dos protestantes principais nem do anti-intelectualismo do fundamentalismo protestante ultraconservador.[6] Ou seja, tratava-se de uma espécie de terceira via entre modernistas e reacionários. Nascia, assim, o chamado neoevangelicalismo, ou apenas evangelicalismo. Todavia, embora não fosse tão anti-intelectual como o fundamentalismo de segunda geração, o evangelicalismo ainda é, na visão de muitos pensadores, uma expressão de fé excessivamente desconfiada das contribuições das ciências humanas, sociais e biológicas.

Antes, contudo, de entender mais a fundo o protestantismo evangelical, ou evangelicalismo, é necessário entender quem não faz parte do evangelicalismo.

---

[6] Fenômeno que será descrito mais à frente.

O protestantismo *mainline*

Os protestantes de linha principal, ou protestantismo *mainline*, são anglicanos, luteranos, metodistas, presbiterianos e até alguns batistas cujo foco recai sobre a justiça social, o diálogo interreligioso, as pautas das ciências sociais e uma visão humanista e secularizada da vida. Em termos teológicos, tendem a apresentar uma continuidade da teologia crítica do século 19, embora hoje sejam reticentes com o racionalismo ingênuo do passado. Politicamente, tendem às pautas dos partidos de esquerda ou progressistas (socialistas, sociais-democratas, trabalhistas etc.). Em leitura bíblica, tendem à leitura crítica clássica (racionalismo, existencialismo e marxismo, por exemplo) ou em leituras de perfil pós-crítico ou pós-moderno, como as teologias identitárias (feminista, negra, oriental, latina etc.).[7] Os protestantes principais não enfatizam tanto a conversão ("nascer de novo"), o biblicismo e a evangelização. Especialmente nos Estados Unidos, um protestante principal não se nomeia como evangélico, apenas como protestante. No Brasil, porém, é comum fazê-lo.

O fundamentalismo protestante

O protestantismo fundamentalista nasce nos Estados Unidos do final do século 19 como reação ao liberalismo teológico de matriz alemã e francesa. Na primeira geração, nada mais era do que uma reação conservadora ao avanço do liberalismo. Mas, a partir da segunda geração, no início do século 20, começou a ganhar contornos de identidade. Os fundamentalistas

---

[7] Como toda tentativa de definição, o que apresento é generalizante. Sempre haverá exceções ao quadro apresentado.

O QUE É SER EVANGÉLICO   35

são protestantes que, de modo geral, desconfiam profundamente da ciência, da cultura e do mundo acadêmico. Tendem a uma leitura literalista da Bíblia, inclusive de gêneros que não podem ser lidos como literais (poesia hebraica e literatura apocalíptica, por exemplo). Os fundamentalistas, assim como os antagônicos liberais, são racionalistas extremados, desconfiando de tudo o que soe místico. Herdeiros da cultura puritana, não raro aplicam uma apologética de caça às bruxas e cultivam um clima de vigilância constante sobre seus pares. São muitas vezes sectários e polarizadores. Politicamente, tendem a votar em partidos de direita ou extrema-direita e defendem, especialmente nos Estados Unidos, pautas como a liberdade irrestrita do porte de armas, o nacionalismo religioso ("a minha nação é escolhida por Deus"), a pena capital e, entre alguns grupos minoritários dentro do fundamentalismo, uma espécie de teocracia.

Os fundamentalistas têm ainda forte aversão a qualquer discurso de ação social ou afirmativa. Em geral, encaram a ação social como sinônimo de "comunismo", não obstante a longa tradição profética hebraica de denúncia às injustiças econômicas e a ênfase histórica da igreja no cuidado dos mais pobres. Jocosamente, podemos afirmar que o fundamentalista é, acima de tudo, alguém desprovido de dúvidas e cheio de certezas. Os fundamentalistas também olham o ecumenismo e o diálogo inter-religioso como o preparo do Anticristo para a formação de uma única religião mundial. Em sua visão, o exercício apologético — inaugurado pelos Pais da Igreja — não visa o diálogo crítico entre cristianismo e filosofia, mas uma espécie de policiamento minucioso de crenças e rituais.

O que é, afinal, ser evangélico?

Em tese, o evangélico, ou *evangelical*, é um protestante que não abraça nem o protestantismo principal nem o protestantismo fundamentalista. Na prática, porém, os grupos não são estanques e existe uma simbiose constante, principalmente entre evangélicos e fundamentalistas. A maior parte dos fundamentalistas se enxerga como evangélica. Muitas vezes, na prática eclesiástica, é difícil separar um evangélico de um fundamentalista. A contraposição entre fundamentalismo e evangelicalismo tem pouco a ver com questões doutrinárias. A diferença maior está na postura. Os fundamentalistas tendem a ser mais sectários, isolacionistas e estridentes. Os evangélicos ou *evangelicais* são mais moderados.

Politicamente, os evangélicos não são necessariamente aderentes dos partidos dos polos — à esquerda ou à direita. O voto evangélico pode mudar conforme condições sociais, históricas e econômicas. Diferentemente do que acredita a elite cultural, o voto evangélico não é óbvio. O que é mais óbvio são os votos das demais vertentes do protestantismo. Como já dito, o fundamentalista será necessariamente de direita e/ou extrema-direita e o protestante *mainline* será provavelmente de centro-esquerda, esquerda ou extrema-esquerda. E, como veremos no capítulo sobre o mito do voto evangélico, nem sempre é fácil prever esse tipo de voto em bloco, nem é desejável fazê-lo.

As principais ênfases doutrinárias do movimento evangélico são: 1) a ortodoxia histórica do cristianismo expresso nos Credos ecumênicos; 2) a valorização do ativismo evangelístico da herança avivalista; 3) a crença na Bíblia como Palavra de Deus inspirada e inerrante; 4) a conversão e o nascer de novo;

O QUE É SER EVANGÉLICO **37**

5) a piedade individual; e 6) a reconciliação de Deus com a humanidade mediante a obra expiatória de Cristo na cruz.

O evangelicalismo é um fenômeno americano importado e abraçado com afinco pelos brasileiros. A prestigiada revista inglesa *The Economist* chegou a publicar uma matéria a respeito das grandes semelhanças entre os Estados Unidos e o Brasil: "Ambos os países parecem surpreendentemente religiosos aos olhos europeus, com diferentes seitas cristãs competindo vigorosamente por crentes".[8] A história da igreja evangélica brasileira está intimamente ligada à igreja evangélica americana. O motivo dessa ligação é relativamente simples: a maior parte das denominações evangélicas brasileiras recebeu missionários enviados por igrejas americanas. A influência também aconteceu (e ainda acontece) por meio da literatura. Todas as principais editoras evangélicas no Brasil trabalham com traduções de pastores e teólogos americanos — o que representa a maior parte do catálogo de publicação evangélica disponível em português. O consumo de teologia é massivamente de produção americana. Portanto, entender o evangelicalismo anglo--saxão ajuda a entender o movimento evangélico brasileiro.

Outro fator é uma semelhança histórica. Os Estados Unidos, na primeira metade do século 19, puseram de lado o protestantismo de origem europeia, colonizador — a Igreja da Inglaterra, episcopal e sacramental — e adotaram o protestantismo evangélico ou *evangelical*, cuja ênfase, cabe repetir, é *conversionista* ("precisamos nascer de novo"), biblicista ("qual

---

[8] "Two Americas: Brazil and the United States have more in common than they seem to", *The Economist*, edição de 14 de novembro de 2009, <https://www.economist.com/special-report/2009/11/14/two-americas>. Acesso em 25 de abril de 2022.

38 QUEM TEM MEDO DOS EVANGÉLICOS?

é a base bíblica dessa ideia?"), evangelizadora ("precisamos ganhar almas para Jesus") e congregacional ("congreguemos em louvor a Deus"). Nas últimas décadas, da mesma forma, o Brasil vem trocando uma igreja episcopal e sacramental, apoiada pelo Estado — a Igreja Católica Romana —, pelo protestantismo evangélico.

Por que um Brasil evangélico será cada vez mais secular

Não é incomum manifestações da elite cultural brasileira ressaltarem que o Brasil caminha para uma teocracia. A referência cultural frequente é o romance distópico *O conto da aia*, de Margaret Atwood, que apresenta a República de Gilead — lugar onde especialmente as mulheres sofrem as consequências dos ditames ditatoriais de um governo cristão. O livro da autora canadense tornou-se também uma bem-sucedida série de televisão sob o título original, *The Handmaid's Tale*.

Mas será que realmente estamos sob uma ameaça teocrática?

O crescimento evangélico é um fenômeno social surpreendente. Segundo pesquisa do Instituto Datafolha publicada em janeiro de 2020, 31% da população brasileira é evangélica.[9] No censo do ano 2000, a população evangélica era de 15,4%. Pelo ritmo atual, na década de 2030 teremos uma maioria evangélica na nação que ainda é conhecida como a "mais católica do mundo". É natural que a participação política dos evangélicos

[9]Anna Virginia Balloussier, "Cara típica do evangélico brasileiro é feminina e negra, aponta Datafolha", *Folha de S. Paulo*, 13 de janeiro de 2020, <https://www1.folha.uol.com.br/poder/2020/01/cara-tipica-do-evangelico-brasileiro-e-feminina-e-negra-aponta-datafolha.shtml>. Acesso em 25 de abril de 2022.

cresça na mesma proporção. É, também, normal que mais evangélicos cheguem a posições de poder. Diferentemente, porém, do senso comum da elite cultural, acredito que um Brasil evangélico será um país paradoxalmente mais secular. Eis os motivos:

1) A pluralidade de ideias e pensamentos é uma marca da tradição protestante. Em certo sentido, com o livre exame das Escrituras, cada protestante é um papa. Essa pluralidade é ainda mais marcante no evangelicalismo. Coloque dois evangélicos para conversar e você terá três opiniões diferentes sobre qualquer assunto relevante. Embora de fato haja alguns consensos, não raro os debates e divergências falam mais alto. A pluralidade doutrinária se reflete na estrutura comunitária. O evangelicalismo é extremamente pulverizado. Há, muitas vezes literalmente, uma igreja evangélica para cada gosto musical, litúrgico, estético, doutrinário e até ético-moral. A teocracia, como todo totalitarismo, demanda um tipo de coesão que não existe no universo evangélico. A pluralidade de doutrinas, liturgias e imaginários sociais também se reflete em inúmeros projetos de poder. Não é possível falar em projeto de poder evangélico no singular, mas apenas e tão somente no plural. Um grupo que tem inúmeros projetos de poder acaba não tendo nenhum. Como exemplo, podemos observar a Assembleia de Deus, a maior denominação evangélica do Brasil. Essa denominação tem, pelo menos, quatro representações nacionais. Não há uma única liderança que encabece tudo de cima para baixo; pelo contrário, o que há são inúmeros líderes fortes, porém de influência mais regionalizada. Se nem mesmo uma denominação consegue consenso em um projeto de poder determinado, imagine pensar o mesmo sobre as dezenas de denominações expressivas que existem no Brasil.

40 QUEM TEM MEDO DOS EVANGÉLICOS?

É justamente a desorganização e as disputas internas no movimento evangélico que impedem qualquer totalitarismo.

2) Por outro lado, a falta de um monopólio (afinal, os evangélicos não têm papa, apenas candidatos ao pontificado) favorece o evangelicalismo. Assim como no livre mercado, quanto mais concorrência em um ramo, mais criatividade, inovação e crescimento haverá. O Estado brasileiro não consegue privilegiar uma denominação específica porque existem mais partidos religiosos do que partidos políticos no Brasil. O negociar do Poder Executivo com os evangélicos é tão complexo como negociar com o Congresso.

3) Outro ponto é que os evangélicos amam uma novidade, e já existe até cultos no ambiente do metaverso. Os evangélicos usam as mídias sociais com mais sucesso que outras vertentes religiosas, e não se constrangem de recorrer a inovações tecnológicas em suas reuniões e em suas estratégias de evangelização. Todavia, como todo grupo ávido por novidades, os evangélicos são volúveis. A cara da igreja evangélica da década de 1980 é completamente diferente da cara da igreja evangélica da década de 2000, que é também totalmente diferente da cara da igreja evangélica da década de 2020. O movimento evangélico é conservador, mas abraça mudanças com uma rapidez que surpreende.

4) Quando afirmo que o Brasil evangélico tende a ser mais secular é porque sua faceta religiosa será secular. A secularidade evangélica não dessacraliza o mundo, porém torna-o mais multifacetado, enquanto a igreja se mundaniza.[10] É uma

---

[10] Há diversas concepções de secularização, mas uso a ideia neste livro como sinônimo de pluralidade de opções religiosas e, também, do processo de mundanização ou religiosidade aculturada. Normalmente o termo é

O QUE É SER EVANGÉLICO **41**

secularidade em que a igreja se acultura. Os evangélicos há muito deixaram a condição de seita — grupo fechado, coeso e pequeno — para a condição de igreja — grupo aberto, desagregado e grande. A convivência pacífica com a secularização igualmente impede qualquer arroubo teocrático.

5) O movimento evangélico é um fenômeno urbano e periférico. Cidade é sinônimo de trânsito, inclusive trânsito religioso. Os evangélicos circulam entre igrejas por motivos tão banais como se busca um *shopping*: Aqui tem estacionamento? A sala de monitoramento das crianças funciona? O ar-condicionado é bom? Essa diversidade de opções equivale a mais poder de escolha. Trata-se de um fenômeno sutil de secularização. Em ambientes com inúmeras opções, as organizações religiosas perdem poder relativo.[11] Se o fiel brigasse com o pastor de sua igreja em uma pequena cidade interiorana na década de 1950, não lhe restaria muito a fazer a não ser reconhecer a chateação e voltar para a comunidade, a fim de seguir exercendo sua fé. Agora, para qualquer inquietação, basta buscar alternativas no cardápio do Google Maps.

6) A grandeza da igreja evangélica será a semente de sua fraqueza. Esse é o maior risco ao movimento evangélico brasileiro. Caso o Estado consiga estabelecer o monopólio de um pequeno grupo de igrejas evangélicas, o fim da igreja estará

---

usado na imprensa para referir-se à privatização e individualização da fé, ou mesmo ao avanço do sentimento irreligioso. Para uma visão geral sobre as diversas concepções de secularização, veja Olivier Bobineau e Sébastien Tank-Storper, *Sociologia das religiões* (São Paulo: Loyola, 2011), p. 68-74. Para uma crítica à ideia de que o mundo caminha para uma secularização como morte da religião, veja Rodney Stark, "Secularization, R.I.P.", *Sociology of Religion,* vol. 60, ed. 3, outono de 1999, p. 249-273.

[11] Rodney Stark e William Sims Bainbridge, *Uma teoria da religião* (São Paulo: Paulinas, 2008), p. 379.

assinado em cartório. O namoro constante com o Estado será cada vez maior, mais frequente e mais intenso, e quem sairá vencedor nesse namoro é o Estado, não a igreja, porque é o Estado brasileiro que a tudo abocanha. A igreja pagará o preço com desprestígio e declínio. Quanto mais politização, menos relevância. No caso do movimento evangélico, quanto mais poder, mais suas pernas de barro aparecerão. Em outras palavras, o poder político levará a igreja a ser voz relevante na sociedade, mas cada vez menos relevante na vida dos indivíduos. O pastor será ouvido pelo presidente, mas não pela ovelha de sua congregação. O movimento evangélico se parecerá cada vez mais com o cristianismo da cultura. Paradoxalmente, o poder que traz prestígio é o mesmo poder que acabará com o crescimento evangélico no longo prazo. Outra tentação autodestrutiva será o espírito fratricida. A busca por mais poder e mais dinheiro causará disputas ferozes entre denominações e pastores famosos. Os primeiros sinais desse tipo de espírito fratricida já começaram a aparecer em tempos recentes.

Resumindo, acredito que o movimento evangélico não é uma ameaça ao Estado democrático de direito, tanto por seus vícios como por suas virtudes. Caso o casamento com o Estado seja consolidado em monopólico, a teocracia não virá porque a igreja estará cada vez mais desmoralizada e se conformará com algumas migalhas da mesa do rei. O Estado transformará a igreja em burocracia sem relevância cheia de autocongratulações e pompa sem sentido. Caso faça seu papel evangelizador dinâmico e profético, também não será uma ameaça à democracia porque estará ocupada em um projeto mais nobre de edificação. O Brasil evangélico é uma boa notícia para a jovem democracia brasileira. Diferentemente de países como Polônia, Hungria e Turquia, democracias jovens e frágeis sob ameaça

O QUE É SER EVANGÉLICO **43**

teocrática, o Brasil tem a sorte (ou seria a graça divina?) de contar com uma religiosidade difusa, competitiva e criativa. O Estado ainda não conseguiu absorver a igreja como um todo — pelo menos até o dia de hoje. O monopólio de um grupo específico ainda não se desenha. O Brasil evangélico continuará profundamente religioso e, ao mesmo tempo, em processo de constante modernização. Não é necessário medo do crescimento evangélico. Não somos o lobo mau da democracia.

2

Entre o conservadorismo
e o progressismo

Os cristãos evangélicos conservadores e progressistas tendem a achar que seu grupo político é mais fiel aos valores do evangelho de Jesus Cristo. Já escutei as duas frases a seguir de evangélicos jovens e com formação universitária semelhante: "Sou progressista porque as pautas da esquerda combinam mais com Jesus" e "Sou conservador porque as pautas da direita casam com a fé cristã". O problema desse tipo de visão é o horizonte míope. Embora alguns valores conservadores e progressistas combinem com a fé cristã, é um equívoco batizá-los como expressões do pensamento bíblico. O conservadorismo e o progressismo são filhos bastardos do cristianismo: o primeiro é a tradição sem o *Logos*, o segundo é o milenarismo sem o reinado de Cristo.

Nessa guerra fratricida, cristãos conservadores e progressistas estão presos na mesma armadilha, em que uns enxergam os outros como um risco existencial. Os conservadores dizem que os progressistas vão transformar o mundo em um totalitarismo *soft* com bandeiras de arco-íris enquanto tramam o fim da instituição familiar e o controle absoluto da liberdade de expressão por meio da tecnologia. Por sua vez, os progressistas acreditam que vivemos a emergência de um novo fascismo, ainda mais forte e contagiante em vista da celeridade das redes sociais. Um clima apocalíptico, em ambos os lados.

O problema é, acima de tudo, hermenêutico, ou seja, a leitura das Escrituras tende a ser afetada por vieses políticos prévios. Ninguém escapa dos vieses. Todos nós somos menos racionais do que imaginamos. Todos chegamos ao texto bíblico carregando nossos valores — valores que entendemos coincidir com os valores de Jesus. Nossa leitura individual é sempre deficiente porque temos dificuldade de enxergar os próprios erros, muito embora sejamos eficazes em apontar os erros e as falhas alheias. Ninguém enxerga melhor as incoerências e irracionalidades dos conservadores do que os teóricos progressistas, e vice-versa. Cientes dos vieses de confirmação, deveríamos nos expor cada vez mais a uma comunidade diversa. Somente assim, em ambientes comunitários verdadeiramente plurais, será mais fácil encontrar a verdade.

A comunidade, com efeito, é um conceito essencialmente plural. Um ajuntamento de pessoas que pensa igual e reproduz a mesma cultura não é comunidade, é tribo. Os ideólogos de direita e esquerda amam a formação de tribos porque no tribalismo não há o desconforto do "diferente". A vivência em comunidade é trabalhosa, enquanto a simplicidade binária da ideologia é confortável. A comunidade demanda construção de relacionamentos, o exercício da tolerância e a paciência. O apóstolo Paulo escreveu à igreja em Colossos: "Suportem-se uns aos outros e perdoem-se mutuamente, caso alguém tenha motivo de queixa contra outra pessoa. Assim como o Senhor perdoou vocês, perdoem também uns aos outros" (Cl 3.13, NAA). Por sua pluralidade, a comunidade demanda espaço de perdão, contrição e reconciliação. No tribalismo o perdão inexiste, porque qualquer divergência se torna traição existencial. O caminho do divergente na tribo é ostracismo. Porém, se é verdade que Paulo valorizava a diversidade (1Co 12) como marca da igreja dotada pelo Espírito Santo, também é verdade que ele tinha consciência dos riscos das rupturas sociais (1Co 3).

A simplicidade binária da ideologia tribal se vê diante de um problema: a complexa realidade da vida. Aliás, não apenas a realidade é complexa, mas Cristo também é complexo. "A espécie humana não tolera muita realidade", como disse T. S. Eliot. Jesus confundiu fariseus, saduceus, zelotes, romanos, soldados, generais, profetas, governantes, poderosos, estrangeiros e até seus discípulos e a própria família. Quando o idoso profeta Simeão toma o menino Jesus nos braços, Maria escuta que seu filho veio para ser "um sinal de contradição" (Lc 2.34, NVI). É isso que Jesus é: sinal de contradição. Jesus contraria conservadores e progressistas em seus acordos, consensos, sentimentos e pensamentos. Jesus também contraria a apatia despolitizada daqueles que tentam escapar da polarização. Jesus nos contradiz ao desnudar-nos em nossas certezas. É impossível "afetação moral" diante de Jesus. Diante dele ninguém pode simular grandeza. Ele é o Leão da tribo de Judá, um Deus que não pode ser domesticado.

Embora seja clichê afirmar que Jesus não pode ser colocado numa caixinha, trata-se, infelizmente, de uma verdade óbvia frequentemente ignorada. Estou ciente que não existe cristologia pura, assim como não existe nenhuma ideia ou construção de pensamento totalmente neutro. A realidade é sempre mediada. Por outro lado, não precisamos cair em um fatalismo relativista. Cristo é a âncora em quem podemos nos segurar para reavaliarmos constantemente nossas ideias e valores. A ele podemos nos voltar sempre, pois Cristo é a luz que ilumina a humanidade. A consciência sobre a limitação do conhecimento não é desculpa para a conformidade passiva diante das ideologias. Embora a pureza ideológica seja um ideal inalcançável, existe um abismo factual entre a conformidade e a autocrítica.

Neste capítulo proponho um exercício difícil. É a tentativa de enxergar pecados não apenas no outro, mas também no meu *eu* e no meu *meio*. Sou o que se poderia chamar de "cristão conservador". Nessa posição, é fácil enxergar os pecados dos progressistas. É, também, muito fácil até mesmo duvidar da possibilidade de um cristianismo progressista. Por esse motivo, começo apontando os pecados dos conservadores. Minha própria convivência comunitária com gente mais progressista me ajuda a enxergar as limitações do conservadorismo político e teológico.

Os pecados dos conservadores

Os conservadores se alimentam do medo. É o medo do comunismo, o medo da teoria de gênero, o medo da destruição da família. Alguns medos têm fundamento, outros são exageros que beiram a paranoia e teorias conspiratórias. O medo é a principal energia de um conservador evangélico. O que une esses medos é o medo do novo, do desconhecido. Os conservadores tendem a abraçar um estilo de vida baseado no medo e confundem esse comportamento errático com a virtude da prudência. A prudência é uma virtude completamente diferente do medo. A prudência demanda calma, análise, ponderação e cautela. A prudência é, acima de tudo, uma construção paulatina. O medo, por sua vez, sempre está ativado no senso do urgente e da ação irrefletida. O medo motiva a defesa agressiva. O medo é desconstrução, é severa destruição. É verdade que os progressistas também sabem manipular o medo para os seus propósitos, mas ninguém faz isso melhor do que um conservador.

Embora o medo seja necessário, deixando-nos alerta para perigos reais, na vida política e social essa emoção é uma arma perigosa. Os fascistas e os nazistas usaram o medo do "outro" na formação de um sentimento coletivo de autopreservação. Os maoístas e stalinistas também criaram uma rede de medo e estabeleceram uma cultura de vigilância e denúncia que envolvia até "amigos" e parentes. Nesse estágio, o medo deixou de ser um legítimo mecanismo de defesa e passou a ser o fomento de violência sob a falsa capa da proteção. Esse estilo de vida é pecaminoso porque atenta contra uma das virtudes centrais da fé cristã, que é a esperança.

O medo caminha com o ódio. O partidarismo negativo é a marca do ódio como sentimento político. Nesse clima, o que mais importa aos partidários não é a afeição pelas ideias que julgam virtuosas, mas o ódio pelas ideias que julgam erradas. O que eles admiram no candidato ideal não é a coerência na defesa de uma plataforma partidária historicamente construída, mas o compromisso na luta feroz e violenta contra os "inimigos" que estão do "outro lado". O medo é sempre focado na destruição das relações diversas. O medo tem ojeriza pela "mistura". O medo preserva apenas o que é igual porque o igual é conhecido.

O único tipo de medo que ainda faz parte da caminhada cristã é o medo reverente, ou seja, a relutância em ferir a santidade de Deus (At 10.35; 2Co 7.1). O temor do Senhor, que é o princípio da sabedoria (Pv 9.10), não é construção de paranoia; pelo contrário, o temor do Senhor produz confiança (Pv 14.26), ao passo que a paranoia produz suspeita e mania de perseguição. A sabedoria, que é fruto desse medo reverente, é

50   QUEM TEM MEDO DOS EVANGÉLICOS?

a capacidade de avaliar e viver as dimensões éticas e morais à luz da fé bíblica. O medo positivo na Bíblia é a reverência a um Deus santo, é o caminhar em uma trilha de prudência, moderação, mansidão e pacificidade. Quanto ao medo em si, a Bíblia condena o tempo todo. O medo é um sentimento isolacionista, a tensão permanente ocasionada pelo espírito de combate. O amor lança fora todo o medo porque o amor encarna a paz, a paciência, o domínio próprio e a bondade — tudo o que falta ao coração ideologicamente motivado pelo pavor.

Os conservadores também sonham com a volta da força do cristianismo cultural. Os progressistas, exageradamente, enxergam esse sonho como a volta da teocracia ou um reavivamento da Idade das Trevas — mas não é esse o desejo da maioria dos conservadores cristãos. O cristianismo cultural não é teocracia, mas é a influência de um pensamento cristão nas principais instituições culturais e sociais de uma nação. Embora seja um desejo legítimo, o cristianismo cultural não é fé encarnada. Aqui recorro ao brilhante comentário do analista político Ross Douthat: "O cristianismo cultural não é algo de que os crentes sinceros devam zombar ou o qual rejeitar, mas é uma penumbra da fé real, um eco esmaecido de zelo real. Não está claro se é possível começar com a penumbra ou o eco e voltar para a coisa real. Nos lugares onde o populismo conservador tomou forma, da França à Polônia, a frequência à igreja é insignificante ou está em declínio".[1] Como mencionei no primeiro capítulo, o apoio do Estado a determinada igreja

---

[1] John Gray e Ross Douthat, "Why liberalism is in crisis", *The New Statesman*, 26 de janeiro de 2022, <https://www.newstatesman.com/ideas/2022/01/the-light-that-failed-why-liberalism-is-in-crisis>. Acesso em 25 de abril de 2022.

ou expressão religiosa apenas afasta as pessoas da frequência de culto. Quanto mais apoio e privilégios políticos uma igreja recebe, mais, no longo prazo, ela será diminuta. O cristianismo estatal é morte na panela. O cristianismo que vive dos favores do Estado não precisa vivenciar a graça diária de Deus.[2] A concorrência, e não a hegemonia, ajuda a igreja a manter sua vitalidade.

Segue um exemplo do que estamos discutindo até aqui. A expressão "racismo estrutural" é alvo de debates passionais na guerra cultural que toma conta do Ocidente. Os conservadores, em geral, tendem a rejeitar a ideia. Afinal, se todo mundo é potencialmente preconceituoso, por que devemos falar em racismo estrutural de brancos contra negros? Outro ponto levantado pelos conservadores: o racismo é um ato de imoralidade individual, um desvio de caráter, e não um problema estrutural. Mas, ao rejeitar a ideia de "racismo estrutural", os conservadores estão se esquecendo de princípios do próprio conservadorismo. Edmund Burke, o pai do conservadorismo inglês, provavelmente não entenderia essa resistência.

Em um mundo ideal, o racismo seria um vício a ser combatido apenas pela educação familiar — como regras de etiqueta. Todavia, não vivemos em um mundo ideal e justo, e todo conservador com uma antropologia pessimista deveria ser o primeiro a enxergar injustiças óbvias. Como sociedade, o racismo precisa ser pensado e combatido dentro de suas

---

[2] Um estudo recente mostra que os privilégios do Estado a uma religião tendem a enfraquecê-la no longo prazo. O cristianismo é mais forte onde ele tem mais "concorrência" interna e externa. Veja Nilay Saiya e Stuti Manchanda, "Paradoxes of Pluralism, Privilege, and Persecution: Explaining Christian Growth and Decline Worldwide", *Sociology of Religion*, vol. 83, ed. 1, primavera de 2022, p. 60-78.

52 QUEM TEM MEDO DOS EVANGÉLICOS?

estruturas sociais, culturais e institucionais, e também individuais. O racismo não é um problema apenas individual *ou* apenas social, mas é individual *e* social. Os libertários são aqueles que resumem todos os problemas ao indivíduo, mas o conservador sabe que a ordem social importa. Conservadorismo não é sinônimo de individualismo radical, muito pelo contrário. O conservador entende que o homem é produto do meio e o meio é produto do homem. As instituições, portanto, podem exalar virtudes ou vícios. Quando viciadas, necessitam de reformas.

Mais estranha ainda é a resistência dos conservadores *cristãos* ao tema do racismo estrutural. A teologia cristã é herdeira da Bíblia hebraica e do Novo Testamento, textos sagrados que são mais comunitários do que individualistas. O conceito hebraico de comunidade envolve também o problema moral. O pecado, que é uma transgressão legal, é um problema pessoal e estrutural na teologia cristã. O apóstolo Paulo escreveu aos romanos: "O pecado entrou no mundo por meio de um só homem, e o seu pecado trouxe consigo a morte. Como resultado, a morte se espalhou por toda a raça humana porque todos pecaram" (Rm 5.12, NTLH). As dimensões individual e social estão interligadas. Por isso, a teologia cristã clássica também trabalha o conceito de "pecado social". O racismo estrutural é um pecado social. Diante do mal, a passividade não é uma virtude conservadora.

O pecado dos progressistas

A afetação moral é o principal pecado dos progressistas, combinada a uma falsa humildade. Os progressistas realmente acreditam em sua autopiedade. Embora sejam poderosos,

ENTRE O CONSERVADORISMO E O PROGRESSISMO **53**

sabem trabalhar muito bem o *marketing* de que vivemos sob domínio institucional dos conservadores — quando todas as evidências apontam uma disputa meio a meio nas democracias modernas. Os progressistas não reconhecem, ou fingem não reconhecer, seu tamanho e influência. São grandes, e em alguns setores são hegemônicos, mas se lamuriam como se estivessem à beira da extinção. As pautas progressistas são assimiladas com facilidade em grandes corporações, na mídia tradicional e nas novas mídias, em universidades, no judiciário, no meio artístico, nas empresas de publicidade, nas organizações sociais e até em algumas igrejas culturalmente mais elitizadas. Talvez a pauta LGBTQIA+ seja a mais simbólica da força progressista nas instituições e nos meios culturais. O capitalismo já entendeu que pautas sociais e morais podem tornar-se um ativo financeiro — o selo ESG[3] é um exemplo disso.

Pelo menos no Brasil, a oposição ao consenso progressista se encontra no Congresso Nacional, nas igrejas evangélicas e em setores do Poder Executivo. Todas essas instituições são constantemente ridicularizadas como a vanguarda do atraso e tidas como um perigo hegemônico brutal. A elite cultural nem sequer reconhece a legitimidade desses grupos como vozes possíveis no ambiente democrático. A fraqueza dos conservadores é simbolizada pela "pauta de costumes" — pauta essa que não avança, ao contrário do que dizem os prognósticos dos progressistas. Por exemplo, a redução da maioridade penal é uma ideia amplamente apoiada pela população e pelos políticos conservadores, mas nunca progride no Legislativo. A pressão dos grupos progressistas na mídia e na academia sempre

[3] Sigla em inglês para práticas ambientais, sociais e de governança corporativa [Environmental, social and corporate governance].

54 QUEM TEM MEDO DOS EVANGÉLICOS?

consegue reverter políticas de segurança pública de viés mais restritivo. Embora os progressistas finjam fraqueza, a verdade é que as principais instituições nacionais são influenciadas pelo pensamento e pelas pautas do "progresso", com exceção das instituições mais íntimas — como é o caso da família. Observamos uma população majoritariamente conservadora com uma elite cultural majoritariamente progressista. Os conservadores fazem muito barulho e ganham algumas batalhas culturais e políticas, mas quem ocupa postos-chave da vida social são os progressistas, e essa influência vem crescendo a cada ano. Mesmo com essa força extraordinária, ainda sofrem pesadelos de que viverão no futuro em um talibã tupiniquim.

O elitismo é outro pecado típico dos progressistas. Arrogantemente, sempre olham o conservador como um caipira mal-informado que não tem instrução formal nem sabe as últimas novidades dos jornais culturais e acadêmicos. O tom professoral marca a fala dos progressistas no ambiente público — eles sempre estão ensinando os "incivilizados". O progressista é o urbano sofisticado, preocupado com a alimentação balanceada, o meio ambiente, a diversidade e todas as pautas identitárias possíveis, embora veja com desconfiança a empregada doméstica que é uma pentecostal negra da periferia. Ela é, na visão do progressista típico, um objeto de manipulação nas mãos de pastores inescrupulosos ou uma mulher sem discernimento, incapaz de escolher uma religiosidade libertadora e contrária ao moralismo. O progressista sempre tem uma lição a oferecer e está constantemente mudando as regras de etiqueta na forma de tratamento das minorias. O problema principal do elitismo progressista é a crença no mito de que uma educação robusta é o freio de toda ignorância e preconceito. Em estudos sobre grupos que desafiam consensos cientíﬁcos, os psicólogos sociais têm descoberto que todos os adeptos de uma tribo, quer menos quer mais instruídos, tendem a pensar da mesma forma — com uma agravante: o mais educado tende a ser mais fanático.[4]

Como parte da afetação moral, os progressistas dividem o mundo entre bons (eles próprios) e maus (todo tipo de conservador). A mentalidade binária é a mesma cultivada pelos conservadores. O diabo é sempre o outro. Embora os psicólogos sociais, especialmente das universidades de elite dos Estados Unidos, tendam a associar a personalidade autoritária aos conservadores, os progressistas não ficam atrás. Aliás, esse hábito de associar exclusivamente a inclinação autoritária aos conservadores vem do clássico *Estudos sobre a personalidade autoritária*, editado pelo ﬁlósofo Theodor W. Adorno em companhia com os pesquisadores Else Frenkel-Brunswik, Daniel Levinson e Nevitt Sanford e publicado originalmente em 1950.[5] Mas, diferentemente do que davam a entender, a disposição pela uniformidade social, hierarquia, coerção da autoridade grupal, preconceito, rigidez cognitiva e punição dos faltosos também está presente nos grupos progressistas, como mostra um interessante estudo de um grupo de psicólogos da Universidade de New York, da Universidade de Melbourne

[4] Veja, por exemplo, Dan M. Kahan, Hank Jenkis-Smith e Donald Braman, "Cultural cognition of scientiﬁc consensus", Journal of Risk Research, 2011, 14:2, p. 147-174.

[5] A tendência de psicólogos sociais de retratarem os conservadores como autoritários, enquanto desprezam o autoritarismo de seus pares de esquerda, está ligada ao predomínio de progressistas em cadeiras de psicologia social. Esse fato está bem documentado em Yoel Inbar e Joris Lammers, "Political Diversity in Social and Personality Psychology", *Perspectives on Psychological Science* XX(X), p. 1-8: <http://yoelinbar.net/papers/political_diversity.pdf>. Acesso em 25 de abril de 2022.

56 QUEM TEM MEDO DOS EVANGÉLICOS?

e da Universidade Emory.[6] Segundo esses psicólogos, o autoritarismo transcende a ideologia porque, psicologicamente falando, a disposição autoritária precede a ideologia.

Como parte da afetação moral, os cristãos progressistas gostam de se comparar aos profetas do Antigo Testamento. Isso porque os antigos mensageiros do Senhor condenavam com veemência a injustiça social dos poderosos, tanto dos reis como da classe sacerdotal corrompida. A diferença é que os profetas do passado não romantizavam o povo e o condenava também. Outra diferença importante é que os cristãos progressistas de hoje só protestam contra reis e sacerdotes que não estão alinhados à ideologia que sustentam. O apoio massivo — e praticamente acrítico — de teólogos da libertação aos presidentes de esquerda não é visto como um casamento indecoroso da fé com a política, muito embora o seja.

Outro pecado progressista é a devoção ao mito do progresso. O escritor C. S. Lewis via a doutrina da Segunda Vinda de Cristo como um antídoto a esse mito. Os pensadores progressistas acreditam em uma evolução moral pelos processos históricos produzidos pela própria humanidade. Lewis dizia que "fomos ensinados a pensar no mundo como algo que cresce lentamente em direção à perfeição, algo que 'progride' ou 'evolui'", mas nos lembra que "a Apocalíptica Cristã não nos oferece essa esperança".[7] O progresso é uma grande ilusão. A humanidade pode avançar na tecnologia, no conhecimento

---

[6] T. H. Costello, et al., "Clarifying the Structure and Nature of Left-Wing Authoritarianism", *Journal of Personality and Social Psychology*, janeiro de 2022, 122(1), p. 135-170, <psyarxiv.com/3nprq>. Acesso em 25 de abril de 2022.

[7] C. S. Lewis, *A última noite do mundo* (Rio de Janeiro: Thomas Nelson Brasil, 2018), p. 120.

ou mesmo nos direitos humanos, mas sua natureza permanece estavelmente inclinada ao mal.[8] Lewis encerra: a escatologia cristã "prediz um súbito e violento fim imposto de fora: um extintor disparado contra uma vela, um tijolo jogado no gramofone, uma cortina descendo sobre a peça".[9] Diante da realidade permanente do mal, a escatologia cristã nos lembra que este mundo só tem jeito com a intervenção de Deus na história. Jesus é o fim da história.

Um exemplo de compartimentação da fé pelos evangélicos progressistas é o debate do aborto. Recentemente uma revista brasileira publicou reportagem sobre mulheres religiosas que não seguem os dogmas de sua fé. O título da matéria era: "Minha religião, minhas regras", em referência ao *slogan* do feminismo contemporâneo.[10] A reportagem mencionava algumas católicas e evangélicas a favor do aborto. Diante disso, lembrei-me da seguinte reflexão do teólogo suíço Hans Urs von Balthasar:

> Uma entrega que impõe condições, uma fé com ressalvas é uma contradição em si mesma; desde Abraão até Jesus (que, na fé, exige a pessoa por inteiro) a essência da entrega na fé repousa na renúncia à objeção. [...] não existe um Cristo encarnado sem o seu Corpo, a Igreja, com os seus instrumentos orgânicos. Eles constituem uma coisa só. Sendo assim, é impossível identificar-se totalmente com Cristo e parcialmente com a Igreja.[11]

[8] "Na ciência e na tecnologia, o progresso é cumulativo, ao passo que na ética e na política, é cíclico." John Gray, *O silêncio dos animais* (São Paulo: Record, 2019), p. 55.

[9] Lewis, *A última noite do mundo*, p. 120.

[10] *Revista TPM*, edição de março de 2020.

[11] Hans Urs von Balthasar, *A verdade é sinfônica: Aspectos do pluralismo cristão* (São Paulo: Paulus, 2016), p. 57-58.

58 QUEM TEM MEDO DOS EVANGÉLICOS?

Como bem lembrou o teólogo suíço, a fé cristã não é uma sorveteria onde escolho apenas o sabor que me convém. A verdadeira fé é uma entrega total. Não somos nós quem escolhemos fragmentos de Cristo, mas é Deus quem nos escolhe em Cristo Jesus. Essa verdade serve a qualquer cristão abraçado a ideologias, quer progressistas, quer conservadoras. Um cristianismo adaptado e palatável não é o cristianismo de Cristo, que exige renúncia e um preço a ser pago — inclusive o preço da impopularidade. "Se alguém quer ser meu seguidor, negue a si mesmo, tome diariamente sua cruz e siga-me", disse Jesus (Lc 9.23).

* * *

Por fim, o conservadorismo e o progressismo distorcem a mensagem central do evangelho: Jesus Cristo veio ao mundo para salvar os pecadores a fim de formar um *novo povo*. A ideologia política é sectarismo, e sectarismo é um recorte míope do mundo em que vivemos. O sectário odeia a diversidade real da comunidade. Nos últimos anos o Brasil vem experimentando uma polarização política intensa. Como vimos no início deste capítulo, na direita e na esquerda, cada um olha o seu espaço político como "puro", enquanto enxerga o adversário como a encarnação de todo mal. Assim como hoje, no primeiro século, Jesus viveu entre grupos polarizados. Os saduceus, a elite religiosa de Israel, eram mais progressistas em teologia, estavam alinhados ao Império Romano e, basicamente, dominavam o sacerdócio de Jerusalém. Os fariseus eram mais conservadores em teologia e neutros politicamente; representavam a classe média da religiosidade de Israel e detinham algumas cadeiras no Sinédrio. Os zelotes eram revolucionários, nacionalistas, religiosamente fervorosos e sonhavam com a derrubada do Império Romano. Durante todo o seu ministério, Jesus foi perseguido pelos fariseus e, no final da vida, foi preso em um complô que envolvia romanos, saduceus e um zelote, Judas Iscariotes. Todos os inimigos políticos se uniram contra o Senhor. Isso mostra que a redenção do coração não está no conservadorismo, no progressismo ou em uma postura revolucionária. Todas as ideologias políticas se transtornam diante do verdadeiro Rei.

3

O mito da nação cristã

Em um domingo de 2012, passei alguns minutos assistindo à cerimônia do Jubileu de Diamante da rainha Elizabeth II. A rainha inglesa, com toda a sua glória, recebia inúmeras homenagens de seus súditos naquele dia de celebração. Apesar de crer que a monárquica Inglaterra é mais republicana do que a República Federativa do Brasil, ainda assim notei naquela festa um detalhe, algo exótico que passa desapercebido para muitos quando falamos da monarquia mais prestigiada do mundo: a rainha possui o título de Governadora Suprema da Igreja da Inglaterra. O mandato da rainha é um mandato divino. Isso nos leva a uma questão: o Reino Unido é uma terra cristã? Absolutamente não!

Minha resposta enfática não se deve a eventuais defeitos da família real (que segundo o seriado *The Crown* não são poucos), mas sim porque nunca houve e nunca haverá uma nação cristã. A natureza do cristianismo é a de uma religião universalizante — nunca a de uma seita nacionalista e tribal. É verdade que podemos falar em uma "cultura com influência cristã" ou até em "cristianismo cultural", mas nunca em "nação cristã". Na Nova Aliança não há nação equivalente à nação de Israel da Antiga Aliança. Não há hoje cidade sagrada equivalente à antiga cidade de Jerusalém. Não existe "povo escolhido" como o antigo povo hebreu. O que há e sempre haverá até o final da história é o novo povo de Deus, isto é, a

62 QUEM TEM MEDO DOS EVANGÉLICOS?

igreja de Jesus Cristo, que não está restrita a uma nacionalidade ou etnia.

O mito da nação cristã é difundido pelos adeptos — conscientes ou não — da teologia do domínio. A teologia do domínio é uma corrente defendida por alguns televangelistas americanos como Pat Robertson e Larry Lea, que acreditam que Jesus só voltará a este mundo quando a igreja subjugar e governar o planeta.[1] Outra corrente próxima e intercambiável é a chamada teologia do destino manifesto, que enxerga nos Estados Unidos uma espécie de novo Israel, ou seja, a nação escolhida por Deus para implantação de seu reino. Embora seja uma crença ultranacionalista, essa ideia encontra eco em evangélicos brasileiros que encaram os Estados Unidos como o modelo ideal de nação cristã — seja no passado, seja ainda no presente. Mas, em geral, os próprios americanos acham que a nação já deixou o "primeiro amor" — os nacionalistas evangélicos dizem que essa "nacionalidade cristã" acabou depois da década de 1960 e precisa ser urgentemente resgatada.

Algum tempo atrás, assisti a uma pregação do pastor batista John MacArthur Jr., nome expressivo do fundamentalismo, lamentando que os Estados Unidos deixaram de ser uma "nação cristã".[2] Fiquei me perguntando quando é que os Estados Unidos foram "cristãos". Esse lamento é comum em setores ultraconservadores da igreja evangélica. Muitos cristãos evangélicos americanos alimentam a fantasia de que os Pais Fundadores, como são chamados os líderes políticos que

---

[1] Isael de Araújo, *Dicionário do movimento pentecostal* (Rio de Janeiro: CPAD, 2007), p. 625.

[2] John MacArthur Jr., "A Nation Under God?", Canal Grace to You, <https://www.youtube.com/watch?v=t5vAA_QpNh8>. Acesso em 25 de abril de 2022.

O MITO DA NAÇÃO CRISTÃ **63**

assinaram a Declaração de Independência ou participaram da Revolução Americana, eram cristãos fervorosos que pautaram suas decisões nos princípios bíblicos e na piedade cristã. Mas é bom lembrar que boa parte desses líderes era simplesmente deísta, e alguns negavam doutrinas essenciais do cristianismo, como a divindade de Cristo e a Santíssima Trindade.[3] E, nessa utopia reversa, muitos sonham com um passado idílico que nunca existiu, mas que pode ser restaurado. Trata-se de um reacionarismo do autoengano. É a tal da saudade do que ainda não se viveu.

É fato que o puritanismo influenciou a cultura americana. Esse dado histórico é incontestável, mas supor que essa influência transformou os Estados Unidos em um país cristão não só é um grande exagero como é também um equívoco teológico. Existe, inegavelmente, uma matriz protestante na cultura americana, assim como existe uma matriz católica na cultura brasileira. Porém, nesse assunto há também um problema de definição: o que seria uma nação cristã? O cristão é um seguidor de Cristo; então, como o cristianismo pode se formar a partir de "sentimentos nacionais" se o reino de Cristo transcende o tempo presente (Jo 18.36)? É cristão um Estado com base racista, excludente e xenofóbica? O Império Romano cristianizado justificava suas guerras com um discurso

---

[3] O historiador John Fea acredita que a história americana é complexa demais para afirmar que os Estados Unidos foram fundados como uma nação cristã ou como uma nação secular. É inegável a influência de cristãos no processo de construção da nação, mas esse compromisso não era tão idílico como muitos entendem. Em muitos casos, a Bíblia serviu mais como impulso simbólico de motivação nacionalista do que como objeto de piedade e reflexão. Veja John Fea, *Was America Founded as a Christian Nation? A Historical Introduction* (Louisville, KY: Westminster John Knox Press, 2011).

64 QUEM TEM MEDO DOS EVANGÉLICOS?

religioso e isso, à luz dos Evangelhos, não afastava ainda mais os romanos do cristianismo de Cristo? Como lembra o teólogo Gregory A. Boyd: "É impossível para qualquer versão do reino do mundo ser semelhante a Cristo pela simples razão de que elas participam de um sistema de dominação que necessariamente deposita sua confiança no poder da espada".[4]

Os evangélicos brasileiros quando apontam para os Estados Unidos lembram com certo regozijo que a vasta maioria dos presidentes americanos era protestante,[5] mas, na prática, o que isso indica sobre a qualidade da igreja e da piedade americana? Os Estados Unidos não são os maiores consumidores de drogas do mundo? A segregação racial não mancha a história daquele país? A única bomba atômica lançada até o presente momento não saiu de um avião americano? Os Estados Unidos não são o único país rico e desenvolvido a sofrer com taxas de criminalidade elevadas? A teologia do destino manifesto, como dito acima, acredita que Deus escolheu os Estados Unidos para conduzir o mundo a um grande avivamento que encerra a história antes do triunfo do reino de Deus. Caso essa escolha seja pelo amor da nação a Jesus Cristo, as contas simplesmente não batem. Não escrevo isso com ranço de antiamericanismo. É apenas a realidade dos fatos. Os Estados Unidos também possuem inúmeras virtudes louváveis e é uma referência em diversos setores como educação, legislação e tecnologia, mas não a ponto de ser uma nação celebrada como exemplo de fidelidade a Deus.

[4] Gregory A. Boyd, *The Myth of a Christian Nation: How the Quest for Political Power Is Destroying the Church* (Grand Rapids: Zondervan, 2005), p. 105.
[5] Com exceção de John F. Kennedy e do atual mandatário, Joe Biden, ambos católicos.

É bem verdade que os Estados Unidos não inventaram o nacionalismo religioso, e esse problema não é exclusividade de países com matriz protestante. Nos últimos anos, várias nações passaram por retrocessos em suas democracias, definhamentos esses que encontram respaldo em lideranças religiosas. O autocrata Vladimir Putin usa a Igreja Ortodoxa Russa para legitimar seu regime. O mesmo acontece na Hungria de Viktor Orbán, que é de maioria católica, e na Turquia de Recep Tayyip Erdoğan, de maioria mulçumana, bem como na Índia de Narendra Modi, de maioria hindu. A nacionalista Marine Le Pen, por exemplo, abraça o catolicismo como parte do identitarismo de direita na França secular. Os secularistas antirreligiosos tendem a achar que a maioria religiosa é o real perigo à democracia, quando, na verdade, o autoritarismo religioso sempre precisa do combustível do autoritarismo nacionalista. A China e o Japão são grandes exemplos de nacionalismo que sobrevive sem o componente religioso. Na história moderna observamos que o nacionalismo é o grande risco — e não a maioria religiosa (ou nem sempre) — porque o nacionalismo não precisa da religião para inventar um objeto de apego e identidade, embora a religião seja o objeto afetivo perfeito. Os crentes democráticos precisam ter ciência de que o nacionalismo piora com o componente de identitarismo religioso, uma vez que a justificativa da exclusão passa a ter chancela divina.

Não podemos tratar Jesus Cristo, o Senhor dos céus e da terra, como um deus tribal. Nas religiões tribais, os amigos da tribo são amigos dos deuses da tribo e, da mesma forma, os inimigos da tribo são inimigos dos deuses da tribo. No tribalismo, toda conquista da tribo é obra dos deuses, enquanto toda dificuldade é provação divina. Não há razão coletiva, ponderação comunitária e responsabilidade social — todos

son marionetes no jogo do destino. A religiosidade nacionalista, igualmente, enxerga os inimigos da nação como inimigos
de Cristo, enquanto a religiosidade ideológica enxerga os inimigos da ideologia como inimigos de Cristo. A tribalização de
Jesus é idolatria. Os evangélicos americanos comentem o erro
de colocar a nação acima de Cristo. Infelizmente, a praga do
nacionalismo "cristão" também chegou com força no Brasil na
última década.

Por que não existe "nação cristã"?

O Brasil será uma nação cristã, como cantam os ufanistas
da teologia do domínio? A resposta é obviamente negativa.
Muitos também acham que a Europa já foi cristã. Quando?
A Europa das Cruzadas? A Europa das guerras religiosas in-
termináveis? A Europa da Revolução Francesa? A Europa da
colonização? A Europa que foi berço de duas grandes guerras mundiais? A Europa já teve fortes influências cristãs, mas
nunca foi cristã de fato. E, isso, vale lembrar, nada tem a ver
com a qualidade da piedade dos cristãos europeus, mas sim
porque o conceito de "nação cristã" ou "continente cristão"
é uma impossibilidade à luz da própria fé cristã. A fé e a piedade podem ser vividas em comunidades pelos laços da *comunhão*, mas nunca pelos laços do Estado-nação. O Estado-nação,
como uma invenção da modernidade, não precede a fé cristã,
pelo contrário. Não faz nenhum sentido pensar em pactos nacionais de conversão e santificação na Nova Aliança.

Outro ponto perturbador, mas verdadeiro, é que o cristia-
nismo em sua essência nunca foi e nunca será de maiorias.
O cristianismo é a espiritualidade da "porta estreita" (Mt 7.14).
A fé autêntica é tão elevada que mesmo os mais santos são

O MITO DA NAÇÃO CRISTÃ **67**

desafiados pelos valores de Cristo e reconhecem seu estado de miséria espiritual. Quanto mais santificado alguém for, mais pecador se reconhecerá. O caminho da cruz não combina com popularidade, fama, riqueza, influência e poder. O historiador George M. Marsden escreve:

> Em nenhuma sociedade de qualquer tamanho que seja, a esmagadora maioria dos cidadãos foi ou é composta de cristãos radicalmente comprometidos com a fé. Além do mais, até mesmo os maiores santos fracassaram em vencer totalmente pecados tais como o orgulho e o interesse próprio e, frequentemente, fracassaram até mesmo diante do materialismo, do amor ao poder e do amor à violência. Assim, uma civilização, ainda que possa contar com muitos cristãos verdadeiros, manifestará estas características humanas universais. A introdução do cristianismo, na verdade, melhorará a civilização, desde que muitas pessoas e algumas atividades culturais e instituições resultantes sejam modelados pelos ideais mais ou menos afinados com a vontade de Deus. Assim, ao lado das tendências pecaminosas patentes no núcleo de uma civilização, podem existir outras tendências positivas importantes para as quais o cristianismo contribuiu.[6]

Não quer dizer, contudo, que os cristãos não possam construir legados positivos. Muitas foram as contribuições do cristianismo para o mundo. Por exemplo, os hospitais são uma invenção cristã. Quando inúmeros carros se afastam no trânsito para uma ambulância passar carregando uma pessoa doente, isso nada mais é do que o molde do cristianismo sobre

---

[6] George M. Marsden, "Origens 'cristãs' da América: A Nova Inglaterra puritana como um caso de estudo", em: W. Stanford Reid (ed.), *Calvino e sua influência no mundo ocidental* (São Paulo: Casa Editora Presbiteriana, 1990), p. 319-320.

68 QUEM TEM MEDO DOS EVANGÉLICOS?

o tratamento aos doentes. Nem sempre os doentes foram tratados com prioridade. E o que falar do infanticídio praticado pelos romanos? No cristianismo o infanticídio se tornou um crime horrendo. E quanto às universidades? Sim, o cristianismo inventou o estudo universitário. Podemos ver "Cristo como o transformador da cultura", como pontua o modelo de H. Richard Niebuhr, mas nunca veremos uma teocracia essencialmente cristã. E isso nem é desejável! Nunca veremos um "Israel cristão" governado por juízes piedosos e reis que fazem "o que é reto aos olhos do Senhor"! É temerário que o cristão de hoje sonhe com uma espécie de teocracia como a que Israel viveu. Enfatizo que Deus não se relaciona em sua revelação da Nova Aliança com uma nação específica, como fez no Antigo Testamento, mas sim através de Cristo, "onde não há grego nem judeu, circuncisão nem incircuncisão, bárbaro, cita, escravo ou livre, mas Cristo é tudo em todos" (Cl 3.11, RC).

A pretensão da fé bíblica é de *influência*, e não de dominação. É mais importante um cientista cristão comprometido com o evangelho do que um político evangélico que "defenda os valores cristãos no Congresso" enquanto reproduz os vícios de sempre da politicagem. Quantos hoje no meio evangélico se apresentam como defensores da família ao mesmo tempo que traem o cônjuge? Outros tantos falam da moralidade na cama enquanto se esquecem da moralidade nos negócios financeiros. Outros ainda burlam leis e mesmo assim se apresentam como voz profética para o Brasil. Nosso comportamento sempre falará mais alto que nossas palavras. Nossa influência passa por nosso testemunho. Henri Nouwen escreveu que "uma das grandes ironias da história do cristianismo é que os seus líderes constantemente caíram ante a tentação do poder — poder político, poder militar, poder econômico ou

O MITO DA NAÇÃO CRISTÃ **69**

poder moral e espiritual — muito embora continuassem a falar no nome de Jesus, que não se apegou ao seu poder divino, mas esvaziou-se a si mesmo e tornou-se como um de nós".[7] De fato, que ironia é exercermos poder de opressão para louvarmos a Cristo publicamente enquanto vivemos tudo aquilo de que ele próprio abdicou.

Está errado o cristão que esconde seu cristianismo no armário, mas nem toda expressão pública de cristianismo é louvável. É certo que o cristianismo não é apenas um objeto de foro íntimo ou um costume do ambiente familiar. Embora o cristianismo deva ser manifestado publicamente, a essência da demonstração pública do evangelho é o serviço. Vivemos neste mundo e podemos influenciá-lo positivamente, porém sempre encarando nossos limites como seres humanos. Devemos ter ciência de que essa influência não se dá pelo poder coercitivo, mas sim pelo amor abnegado. Jesus disse: "Seu amor uns pelos outros provará ao mundo que são meus discípulos" (Jo 13.35). O foco no poder político desvirtua nossa essência porque a missão cristã no mundo não está no domínio e sim no serviço. "Vocês sabem que os governantes deste mundo têm poder sobre o povo, e que os oficiais exercem sua autoridade sobre os súditos. Entre vocês, porém, será diferente", disse Jesus. "Quem quiser ser o líder entre vocês, que seja servo, e quem quiser ser o primeiro entre vocês, que se torne escravo. Pois nem mesmo o Filho do Homem veio para ser servido, mas para servir e dar sua vida em resgate por muitos" (Mt 20.25-28).

Muitas vezes, contudo, a linha que separa a influência da dominação é tênue. Influência nunca é imposição. Deus lembrou

[7] Henri J. M. Nouwen, *O perfil do líder cristão do século XXI* (Curitiba: Atos, 2018), p. 49.

70 QUEM TEM MEDO DOS EVANGÉLICOS?

a um governador nos tempos bíblicos que a construção do templo dependia dele, o Senhor, e não da força do governante: "Não por força, nem por poder, mas pelo meu Espírito, diz o Senhor dos Exércitos" (Zc 4.6). O que, de fato, provoca a influência é o ato de servir. É no serviço na força do Espírito que a igreja mostra sua luz. É, por exemplo, na formação educacional de qualidade e na defesa dos direitos humanos (o que deve incluir a repulsa pelo aborto, mas também o combate à violência doméstica e a condenação da tortura). Mais do que preocupações políticas e partidárias, deveríamos trabalhar pelo bem-estar social, o que inclui mais hospitais, escolas e faculdades que refletem valores cristãos, isto é, que refletem a ação de cuidado e misericórdia. Talvez servir com creches não traga tanto prestígio quanto montar um grande partido político, mas fará diferença real nas vidas pelas quais Cristo morreu.

É certo legislar valores cristãos numa sociedade laica?

Os defensores de formas variadas de teocracia se esquecem de que esse tipo de regime é sempre uma *presbiterocracia*, isto é, um governo dos líderes religiosos. A teonomia,[8] uma das ideias absurdas de teocracia que aparecem no submundo da

---

[8] "Na tradição reformada [...] o termo normalmente se refere à convicção de que qualquer lei do Antigo Testamento não explicitamente revogada ou cumprida no Novo Testamento permanece obrigatória e deve ser aplicada na igreja e na sociedade civil. Essa versão reformada da teonomia também é conhecida como Reconstrucionismo Cristão. Expoentes dessa visão, como Rousas John Rushdoony e Greg Bahnsen, acreditam que toda legislação deve estar enraizada na revelação divina e baseada em princípios bíblicos, mas não imposta pela força." Kelly M. Kapic e Wesley Vander Lugt, *Pocket Dictionary of the Reformed Tradition*, The IVP Pocket Reference Series (Downers Grove, IL: IVP Academic, 2013), p. 117-118.

O MITO DA NAÇÃO CRISTÃ **71**

teologia evangélica, defende a ideia de que a Lei (*nomos*) de Deus deve reinar nos dias de hoje como reinou no Israel do Antigo Testamento. O problema de fundo da teonomia é, primeiramente, hermenêutico — essa corrente não leva em conta a relação de continuidade e descontinuidade entre os dois Testamentos. Hoje, na Nova Aliança, a ideia de que um governante cumpre a missão divina é totalmente abjeta. Em nenhuma página do Novo Testamento somos ensinados que Deus levanta governantes para uma missão nacional. Em Romanos 13, Paulo é claro ao destacar que o único propósito divino para as autoridades é a guarda da legalidade. Não faz sentido dizer que as leis civis da contemporaneidade devem ser baseadas na Revelação.

Quando um defensor da teonomia como Mark R. Rushdoony diz que "um dos mitos mais absurdos do nosso tempo é que 'você não pode legislar moralidade'" e que "toda lei é uma moralidade legislada",[9] ele está certo. Só que Rushdoony se esquece do óbvio: nem toda moralidade é legislada, mesmo que toda legislação tenha um fundo moral. Por exemplo, não existe nenhuma lei que puna o ódio ou o ressentimento, mesmo que essa falha moral seja a raiz de toda violência. Portanto, é certo que valores cristãos sejam impostos aos não cristãos? É certo legislar valores que dependem da graça divina para a obediência? Bem, não existe uma resposta definitiva — é necessário analisar caso a caso. Nas questões de sexualidade, por exemplo, será certo legislar moralidade nesse sentido? E, aliás, o que adianta ser seguidor de tais leis exteriores quando

[9] Mark R. Rushdoony, "Em defesa de uma moralidade legislada", *Monergismo*, <http://monergismo.com/mark-rushdoony/em-defesa-de-uma-moralidade-legislada/>. Acesso em 4 de junho de 2012.

72 QUEM TEM MEDO DOS EVANGÉLICOS?

a conversão a Cristo está fora de cogitação, vivenciando o espírito da hipocrisia? Assim, repito, cada caso deve ser pensado especificamente. Diante do desafio pluralista, o filósofo cristão Richard Mouw defende:

> Sou cauteloso dos esforços em estabelecer leis cujo propósito primário é forçar os não cristãos a se conformarem a normas sexuais cristãs. Embora faça sentido construir "cercas" legislativas em torno de certas práticas de exploração sexual, as leis designadas a fazer os não cristãos se conformarem relutantemente a normas cristãs não são satisfatórias. As Escrituras chamam os seres humanos a oferecerem a Deus sua obediência livre. Quando escolhem não fazer assim, temos de respeitar suas escolhas mesmo que na nossa opinião sejam escolhas lamentáveis.[10]

Mas isso, em hipótese alguma, significa concordância ou relativismo de verdades fundamentais, como ainda lembra Mouw:

> Nenhuma tentativa de ser civil será biblicamente adequada se não dá importância à realidade do mal. Civilidade não pode significar relativismo. Todas as crenças e valores não estão numa paridade moral. Quando mostramos generosidade e reverenciamos as pessoas com quem discordamos sobre assuntos importantes, não pode ser porque não nos importamos com as questões últimas da verdade e da bondade.[11]

Quando lemos Romanos, vemos um apóstolo Paulo denunciando a imoralidade de Roma, mas sem nenhuma pretensão

---

[10] Richard Mouw, citado em: Dennis McNutt, "Política para cristãos e outros pecadores", Michael D. Palmer (org.), *Panorama do pensamento cristão* (Rio de Janeiro: CPAD, 2001), p. 459.

[11] Ibid.

O MITO DA NAÇÃO CRISTÃ **73**

legislativa. O ambiente de depravação sexual que Paulo enfrentou era ainda pior que o de hoje. Paulo sabia que a lei era incapaz de salvar. A lei é ótima como recurso educativo, mas não passa de um tutor. Embora nos avise do pecado, é incapaz de nos levar à conversão. Portanto, antes que os cristãos tenham uma fome legislativa eles devem ter em mente os limites das leis e as potencialidades do novo nascimento e da operação do Espírito Santo na vida humana. A legislação civil não substitui o milagre da regeneração.

As leis, portanto, devem ser objetos de reflexão a partir da razão, da experiência e da discussão democrática. Toda lei, como já afirmado, reflete uma moralidade, mas nem toda moralidade se reflete em lei. O caminho da prudência é o melhor meio de criação e revogação das leis. Embora seja verdade que a lei não pode criar um homem nascido de novo, a lei permite o mínimo de convívio social. Ou, como disse Martin Luther King Jr., "pode ser verdade que a lei não pode fazer um homem me amar, mas pode impedi-lo de me linchar e acho que isso também é muito importante".

Uma resposta bíblica

O texto essencial para quebrar o mito da "nação cristã" é a famosa frase: "Deem, pois, a César o que é de César e a Deus o que é de Deus" (Mt 22.21, NAA), a resposta de Jesus ao questionamento se os judeus deveriam ou não tributar ao imperador romano. No Antigo Oriente, tanto os pagãos quanto os judeus viam a religião como um conceito abrangente que envolvia todos os aspectos da vida, inclusive as relações com o Estado. Não havia a separação entre sagrado e secular. O Estado e a religião eram uma coisa só. Diante disso, como pagar

74 QUEM TEM MEDO DOS EVANGÉLICOS?

tributo a César? Ou seja, tributar a César não é o mesmo que reconhecer a legitimidade dos deuses que o imperador adora e reconhecer a própria divindade de César? A moeda, em si, era um objeto religioso porque carregava a imagem de César e possuía expressões de louvores ao imperador com a inscrição "Tibério César, Augusto, filho do deificado Augusto, sumo sacerdote", enquanto trazia no verso a imagem de Lívia Drusila, a deusa da paz.[12] A pergunta, uma espécie de "pegadinha", visava expor Jesus ou como simpático a Roma ou como inimigo revolucionário do Império.

Em sua resposta, Jesus inaugura o conceito de secularidade. Essa secularidade, contudo, não faz uma "divisão rígida da vida em 'sagrado' e 'secular', mas faz o reconhecimento de que o 'secular' encontra seu lugar apropriado dentro da reivindicação dominante do 'sagrado'".[13] Ao perguntar de quem era a imagem esculpida na moeda, o público rapidamente respondeu que era de César. Então Jesus diz: "Então deem a César o que pertence a César e deem a Deus o que pertence a Deus". O que Jesus está dizendo é que nosso compromisso com César não precisa ser um compromisso com a religião de César ou mesmo com a política de César — o compromisso com o imperador nunca é total, mas sempre relativo. Jesus separa o dever civil da religiosidade totalitária de César. O imposto pode ser pago sem ser um voto de apoio a Roma.[14] Jesus, assim, implode o próprio conceito de religião, que *religa* a humanidade em seus

---

[12] Ulrich Luz, *Matthew 21–28*, Hermeneia (Minneapolis: Fortress Press, 2005), p. 65-66.

[13] R. T. France, *Matthew: An Introduction and Commentary*, Tyndale New Testament Commentaries (Downers Grove, IL: InterVarsity Press, 1985), p. 319.

[14] Warren Carter, *O Evangelho de São Mateus: Comentário sociopolítico e religioso a partir das margens* (São Paulo: Paulus, 2021), p. 550.

O MITO DA NAÇÃO CRISTÃ **75**

rituais e liturgias aos reis e aos deuses *ao mesmo tempo*. Meus deveres para com César podem conviver com meus deveres para com Deus, embora os compromissos civis não devam se sobrepor a meus deveres para com o Senhor absoluto, que é o dono da terra e de sua plenitude (Sl 24.1). O nível da resposta de Jesus é muito profundo e sofisticado. César e Deus não se confundem. A fidelidade a Deus é absoluta, mas a fidelidade a César é relativa porque, enquanto uma moeda leva a imagem de César, a humanidade carrega a imagem de Deus. A igreja primitiva entendeu a mensagem de Jesus quando disse diante da perseguição das autoridades: "Devemos obedecer a Deus antes de qualquer autoridade humana" (At 5.29).

O foco de Jesus não é a autoridade de César, mas a autoridade de Deus. É a obediência a Deus que confirma, supera ou ainda desnuda todos os outros mandamentos e autoridades. É o compromisso de amor e comunhão que define a prioridade da verdadeira autoridade. O cristianismo é um compromisso de consciência e prática piedosa, mais do que de rituais e liturgias. Jesus ressoa o profeta Oseias quando diz: "Quero que demonstrem misericórdia, e não que ofereçam sacrifícios" (Mt 9.13). Enquanto isso, no paganismo romano, o ritual e a forma eram mais importantes do que a essência. Os deuses romanos e gregos abençoavam pela precisão milimétrica do ritual, e não pela paixão do crente. Os gestos tinham de seguir literalmente o que diziam os manuais litúrgicos, ainda que o sentido dos gestos se perdesse.[15] Não era necessário amar a César para servi-lo. César, aliás, não mirava o amor dos súditos, mas o temor. Como pontua John Gray: "Ao reformular a

---

[15] Luc Ferry e Lucien Jerphagnon, *A tentação do cristianismo: De seita a civilização* (Rio de Janeiro: Objetiva, 2011), p. 18.

76 QUEM TEM MEDO DOS EVANGÉLICOS?

religião como uma forma de crença — uma questão de consciência, e não apenas de prática ritualística —, o cristianismo criou uma demanda de liberdade que não existia no mundo antigo. Valorizando antes a devoção íntima que a prática pública, os primeiros cristãos geraram um movimento que culminaria na criação de um reino secular".[16]

Ao relativizar a autoridade dos reis e imperadores, o cristianismo segue a tradição judaica de colocar Deus como o suprassumo do poder. "Aquele que governa nos céus ri; o Senhor zomba deles" (Sl 2.4), isto é, o Todo-Poderoso gargalha com a ingenuidade de quem acha que pode agir de modo absoluto, tiranizando uma nação, uma comunidade ou mesmo um indivíduo. Homem nenhum tem o poder de se equiparar ao poder de Deus. Homem nenhum tem carta branca para dizer que a obediência a ele é a obediência ao próprio Deus. César em seu lugar limitado. Deus, o Todo-Poderoso, em todo o universo. "Este pronunciamento da máxima importância feito por Jesus mostra que Ele distinguia o secular e o sagrado sem cindi-los, e que distinguia sem unificar as duas esferas em que os seus discípulos têm de viver", escreveu R. V. G. Tasker. "Eles são cidadãos de suas cidades, a terrena e a celeste, e têm deveres a cumprir em ambas."[17]

Todavia, a história mostra que em alguns momentos a igreja se esqueceu das palavras de Cristo. Dando mais valor ao César germânico do que a Deus, muitas igrejas na Alemanha nazista aderiram com entusiasmo ao programa totalitário de Adolf Hitler. Havia, aliás, um amplo programa estatal para a

---

[16] John Gray, *Sete tipos de ateísmo* (Rio de Janeiro: Record, 2021), p. 25.
[17] R. V. G. Tasker, *Mateus: Introdução e comentário*, Série Cultura Bíblica (São Paulo: Vida Nova, 1980), p. 167.

O MITO DA NAÇÃO CRISTÃ **77**

criação da Igreja Nacional do Reich, literalmente uma congregação de essência nazista. Uma igreja ultranacionalista. Entre os artigos de seu novo credo estava aquele que simboliza o extremo da mistura igreja e Estado: "No dia de sua fundação, a cruz cristã deverá ser removida de todas as igrejas, catedrais e capelas [...] para ser substituída pelo único símbolo invencível, a suástica".[18] A suástica substituindo a cruz chegou a virar realidade em algumas igrejas alemãs. O simbolismo é fortíssimo, e o alerta é ainda maior.

Os evangélicos em busca de um messias

No afã do nacionalismo cristão, desde o final dos anos 1980 os evangélicos brasileiros nutrem a esperança messiânica de um presidente evangélico. Muitos acreditam que um evangélico na principal cadeira da República atrairá a graça divina sobre o Brasil, em um típico pensamento mágico de religiões do Antigo Oriente. Esse messianismo ficou evidente na eleição de 2002, em que Anthony Garotinho era o "candidato dos crentes". À época, Garotinho — que era herdeiro do brizolismo carioca — se apresentava como um candidato de discurso populista de centro-esquerda e negava, por exemplo, que o país tivesse problemas fiscais com a Previdência Social. A pauta de costumes era tímida. Naquela eleição, Luiz Inácio Lula da Silva venceu com amplo apoio dos evangélicos no segundo turno.

Diante desse messianismo, os evangélicos brasileiros ignoravam que já tivemos dois presidentes protestantes. O primeiro presidente protestante foi João Fernandes Campos Café

---

[18] Erwin Lutzer, *A cruz de Hitler: Como a cruz de Cristo foi usada para promover a ideologia nazista* (São Paulo: Vida, 2003), p. 150.

78 QUEM TEM MEDO DOS EVANGÉLICOS?

Filho, vice de Getúlio Vargas, que assumiu o posto após o suicídio de Vargas no ano de 1954. Mas ele passou pouco mais de um ano no poder. Café Filho era membro da Primeira Igreja Presbiteriana de Natal, no Rio Grande do Norte. O general Ernesto Geisel, que exerceu o mandato entre 1974 e 1979, foi o segundo presidente protestante tupiniquim. Geisel era membro de uma igreja luterana no Rio Grande do Sul. Em plena Ditadura Militar, o povo evangélico teve um "representante". Curiosamente, a lei do divórcio foi sancionada por Geisel em 28 de junho de 1977.

O depósito de esperanças em um candidato presidencial messiânico não parou em 2002, embora o sentimento não tenha chamado a atenção em 2006 — ano em que nenhum candidato evangélico se colocou na disputa. Em 2010, o messianismo evangélico renasceu em torno de Marina Silva — ainda que com menor força do que havia acontecido com Anthony Garotinho em 2002. Marina, que assim como Garotinho era de centro-esquerda, foi a aposta de muitos evangélicos no período. Uma famosa pastora chegou a profetizar que Marina Silva seria a próxima presidente do Brasil, mas a vitória ficou com a petista Dilma Rousseff. (Faça-se justiça, Marina Silva não usou de sua condição como membro da Assembleia de Deus para promoção política.[19]) Em 2010, outros evangélicos, hoje fervorosos bolsonaristas, faziam campanhas em igrejas dizendo que Dilma Rousseff tinha um compromisso contra o aborto. A campanha de 2010, em um momento de relativa

---

[19] Como é possível a Assembleia de Deus abrigar pessoas tão diferentes como Marina Silva, Marco Feliciano e o Pastor Everaldo? Essa é mais uma prova que mesmo uma única denominação evangélica não é um grupo monolítico, como já afirmamos no Capítulo 1.

O MITO DA NAÇÃO CRISTÃ **79**

prosperidade econômica, inaugurou o debate de costumes com a temática do aborto nas eleições majoritárias.

Em 2014, a esperança messiânica voltou ao nome de Marina Silva, que em dado momento da campanha parecia uma força imbatível, mas que acabou sendo massacrada pela campanha do Partido dos Trabalhadores na reeleição de Dilma Rousseff. À época, a bancada evangélica se dividia entre Dilma Rousseff e Aécio Neves, ainda que alguns apoiassem o candidato nanico Everaldo Dias Pereira, que usou o nome político de Pastor Everaldo. Em 2014, a pauta de costumes ficou de lado e as preocupações econômicas e a gestão contra a corrupção tomaram o debate político. Porém, em termos de temperatura política, a eleição de 2014, sob o escaldo das manifestações de junho 2013, inaugurou o período de polarização ideológica na Nova República.

Em 2018, o Brasil era outro. Era o Brasil pós-crise econômica do governo Dilma, que provocou uma queda do Produto Interno Bruto[20] do país de 6,8% em dois anos (2015–2016), o pior resultado em mais de um século e um dos piores resultados econômicos de um país em tempos de paz. Era, também, o Brasil da operação Lava Jato, responsável pela implosão de inúmeros políticos e partidos tradicionais. O Brasil, então, elegeu um presidente de extrema-direita com discurso antissistema, que era, ao mesmo tempo, parte de uma família de políticos e deputado federal com três décadas de filiação aos chamados partidos do "centrão fisiológico". Jair Bolsonaro, embora seja um católico nominal, foi abraçado pelos evangélicos com um fervor messiânico ainda maior do que das eleições anteriores. Com sobrenome Messias, chegou a ser batizado no

[20] O PIB é a soma de todas as riquezas produzidas pelo país em um período.

80 QUEM TEM MEDO DOS EVANGÉLICOS?

rio Jordão pelo Pastor Everaldo, que tempos depois seria preso em uma operação contra a corrupção no sistema de saúde do estado do Rio de Janeiro.

A pauta de costumes, assim como a pauta contra a corrupção, ganhou força extraordinária nas eleições de 2018. Bolsonaro conseguiu capitalizar o discurso de costumes porque se apresentou com pose de firmeza contra o aborto e a "doutrinação das escolas", o que Marina Silva não conseguiu no mesmo ano ao apresentar a ideia de um "plebiscito" para analisar as pautas sociais. Em 2018, havia ainda a figura do deputado Cabo Daciolo, um evangélico folclórico que se apresentou nos debates com teorias conspiratórias, brados de "glórias a Deus" e uma Bíblia nas mãos. (Daciolo, curiosamente, defende pautas do trabalhismo, o que o aproxima da centro-esquerda.) Bolsonaro, por sua vez, foi tratado pelos evangélicos como irmão na fé, mesmo Bolsonaro sendo quem é: um homem de "boca suja" que está no terceiro casamento e que desfruta de eventos sociais regados a bebida alcoólica, música *funk* e lanchas. Um famoso cantor evangélico chegou a dizer no final de 2018 que "finalmente temos um homem temente a Deus na presidência".

De vez em quando alguns irmãos usam a história do rei Davi para dizer que Bolsonaro é um escolhido de Deus, que embora falho e pecador foi ungido e escolhido, assim como aconteceu com o rei de Israel. É um gravíssimo erro de interpretação bíblica. A unção de Davi, assim como da monarquia de Israel, apontava para Jesus, o Cristo, isto é, o Ungido por excelência. Em Jesus, a unção messiânica está completa e não pode ser dividida com mais ninguém. Davi apontava para Cristo, o Rei dos reis. Desde então não existe da parte de Deus um escolhido para governar nações. Jesus é o único e definitivo escolhido. E, em Cristo, todos somos ungidos. Depois do

O MITO DA NAÇÃO CRISTÃ **81**

nascimento do menino Jesus, nenhum homem pode ser lido dessa forma. Nem Constantino, nem Trump, nem Bolsonaro, nem quem quer que seja. Na apocalíptica bíblica, o Anticristo se venderá como o ungido que governa nações. Devemos, portanto, tomar cuidado com atualizações espúrias da Bíblia em nome da política. Conforme as palavras de Reinhold Niebuhr:

> Na verdade, nenhuma nação ou indivíduo, mesmo o mais justo, é bom o suficiente para cumprir os propósitos de Deus na história. A própria concepção da história de Jesus era que todos os homens e nações estavam envolvidos em rebelião contra Deus e que, portanto, o Messias teria de ser, não um governante forte e bom que ajudasse os justos a serem vitoriosos sobre os iníquos, mas um "servo sofredor" que simbolizasse e revelasse a misericórdia de Deus; pois somente o perdão divino poderia finalmente superar as contradições da história e a inimizade entre o homem e Deus. Nenhum homem ou nação seria capaz de discernir os "sinais" (a cruz iminente, por exemplo) que significariam esse tipo de esclarecimento final da história. A falta de discernimento seria devida, não a um defeito da mente no cálculo do curso da história, mas a uma corrupção do coração, que introduziu a confusão do orgulho egoísta.[21]

Os evangélicos traem a própria fé quando buscam um messias político. A crença de que existem ungidos para governar o Estado despreza todo o ensino neotestamentário segundo o qual a unção é para todos os crentes habitados pelo Espírito Santo (1Jo 2.20) — não se trata, portanto, de uma classe específica de seres espetaculares. Além disso, a defesa apaixonada de um político, ignorando todos os erros e justificando todas as falcatruas, contraria a própria doutrina cristã

---

[21] Reinhold Niebuhr, *Discerning the Signs of the Times: Sermons for Today and Tomorrow* (Nashville: Niebuhr Press, 2013), p. 9-10.

conservadora de que o ser humano é essencialmente inclinado ao pecado. O messianismo, que é uma longa tradição brasileira, usurpa o lugar que cabe unicamente a Cristo. É uma antipolítica e um anticristianismo. É antipolítica porque reveste de sagrado o que não é sagrado. É anticristianismo porque coloca sobre um homem a coroa que não lhe pertence.

4

O novo gnosticismo

O primeiro grande desafio interno do cristianismo foi o chamado gnosticismo.[1] Os gnósticos acreditavam que a salvação se dava pela obtenção de um conhecimento secreto intuitivo e místico, reservado a um pequeno grupo de eleitos iluminados. Desconfiavam, assim, das instituições eclesiásticas, o que os tornou objetos de longas críticas dos Pais da Igreja. Sua visão de mundo se caracterizava pelo dualismo, a crença em que a realidade se divide em um equilíbrio de forças opostas do Bem contra o Mal. Muitos gnósticos viam o corpo como uma espécie de prisão da alma e rejeitavam a matéria como má. O cristianismo, sendo uma fé baseada na ideia da ressurreição do corpo e formatada na teologia da criação hebraica — que enxerga a matéria como positiva — entrava em choque com as ideias mais populares dos gnósticos.[2]

Embora o gnosticismo, enquanto movimento, não exista mais, a lógica gnóstica continuou com grande sucesso na história, inclusive, e especialmente, na história contemporânea. Hoje em dia podemos falar em um novo gnosticismo: as chamadas "teorias da conspiração". As teorias da conspiração são até divertidas na ficção, mas no mundo real produzem enormes prejuízos sociais. Há casos isolados que envolvem

---

[1] Na verdade, é mais apropriado usar o plural "gnosticismos", já que o movimento não era uniforme e/ou centralizado.

[2] Para uma leitura ampla do fenômeno gnóstico, veja o capítulo 2 de Tom Wright, *Judas e o evangelho de Jesus* (São Paulo: Loyola, 2008).

84 QUEM TEM MEDO DOS EVANGÉLICOS?

determinada comunidade, e há casos que envolvem um país inteiro. No plano comunitário, por exemplo, um boato no WhatsApp sobre sequestros de crianças no Guarujá, litoral de São Paulo, levou uma mulher a ser cruelmente morta em um linchamento em 2014. Essa senhora não havia cometido crime nenhum, e nem sequer havia registro de casos sequenciais de crianças desaparecidas na cidade.[3] No plano nacional, por sua vez, há o caso do nazismo, que antes de se tornar ideologia nasceu numa teoria da conspiração que desenhava os banqueiros judeus como os grandes dominadores do mundo.

Infelizmente, especialmente nas décadas de 1990 e 2000, as igrejas evangélicas serviram como espaço constante de divulgação de teorias conspiratórias. No começo dos anos 2000, quando eu era pré-adolescente, lembro-me de assistir a um videocassete dentro da igreja junto com vários irmãos. Nesse videocassete havia a mensagem de um missionário brasileiro que morava nos Estados Unidos, embora a mensagem tenha sido gravada em uma igreja batista de Belo Horizonte. Em sua longa "pregação", a tônica era uma série de histórias sem comprovação a respeito de mensagens subliminares em filmes da Disney. Ele dizia, entre outras "descobertas", que o castelo do filme *A pequena sereia* era a representação de um pênis, e o objetivo do desenho animado era sexualizar as meninas.

Os evangélicos da época nutriam um fascínio pela decifração e identificação de mensagens subliminares. Era uma verdadeira febre. Alguns pregadores diziam que grandes corporações

---

[3] Juliana Carpanez, "Veja o passo a passo da notícia falsa que acabou em tragédia em Guarujá", *Folha de S. Paulo*, 27 de setembro de 2018, <https://www1.folha.uol.com.br/cotidiano/2018/09/veja-o-passo-a-passo-da-noticia-falsa-que-acabou-em-tragedia-em-guaruja.shtml>. Acesso em 25 de abril de 2022.

O NOVO GNOSTICISMO **85**

como a Coca-Cola e a Hellmann's usavam mensagens diabólicas escondidas em suas embalagens. Outros pregadores — que sempre se colocavam como antigos bruxos ou feiticeiros convertidos — relatavam os planos diabólicos que estavam ocultos na grande mídia e que estavam sendo implementados por artistas famosos. Entre os relatos mais fantasiosos, eram comuns histórias de crianças hipnotizadas por imagens de TV e de bonecas que encarnavam demônios — assim como acontece com o personagem Chucky, aquele boneco assassino dos filmes de terror da década de 1990. Ainda outros pregadores afirmavam que algumas emissoras possuíam salas secretas para sacrifícios de animais ao diabo. Esses pregadores não se furtavam em dizer que tinham ouvido de satanistas alguns planos secretos do diabo para destruir a igreja (eu ficaria surpreso se o diabo tivesse um plano secreto de edificação da igreja). Um desses ilustrados pregadores é hoje deputado federal.

Em anos recentes, essas histórias sumiram dos púlpitos evangélicos e alguns pregadores que se apresentavam como ex-bruxos de artistas caíram no ostracismo. Mas isso não quer dizer que as teorias conspiratórias diminuíram. Pelo contrário, muitos evangélicos hoje deixaram de ver o diabo na embalagem da Coca-Cola e passaram a vê-lo em qualquer partido ou grupo político que não esteja alinhado a um governo ultraconservador. As teorias da conspiração deixaram o campo dos desenhos animados e passaram para a arena eleitoral.

Mas existe mensagem subliminar? Sim, existe, porém não da forma como acreditam os conspiracionistas. O conceito nasceu na obra de 1957 do jornalista Vance Packard intitulada *The Hidden Persuaders* [Os persuasores ocultos]. Trata-se de uma técnica de "manipulação" que funciona de modo relativamente simples: quando o olho humano enxerga uma imagem de vídeo tudo não passa de ilusão de ótica. Na verdade, o olho está vendo uma série de fotografias, dispostas tão rapidamente que parece uma sequência sem interrupções. Não existe imagem de vídeo "pura", o que existe é uma sequência abundante de fotografias. Se uma dessas fotos apresenta uma mensagem que destoa de toda a sequência anterior e posterior, nasce aí um exemplo do que poderíamos chamar de "mensagem subliminar". O termo é usado em referência à incapacidade de parte do cérebro de decifrar de modo consciente a foto que destoou do todo, enquanto outra parte do cérebro capta a mensagem da ilustração e do texto através do inconsciente. Não há nada de "místico" nessa tarefa. É uma técnica de edição. Essa prática, porém, normalmente é proibida pelas regras éticas da propaganda, e em alguns países, como Inglaterra e Austrália, é uma prática ilegal. Por fim, a "mensagem subliminar" pode ser definida como um estímulo não muito intenso de códigos imagéticos — que não é captada pela consciência.

Mas a mensagem subliminar pode manipular alguém? Parcialmente sim, mas ninguém é uma *tabula rasa*, a ponto de mensagens imagéticas ou sonoras serem capazes de torná-lo um zumbi ambulante. Nenhum recurso de imagem é capaz de minar por completo o livre-arbítrio do ser humano, privando-o de qualquer discernimento. Vídeos, propagandas, desenhos e imagens servem como estímulos, mas só funcionam em mentes já predispostas a determinadas atitudes. Em algum sentido, todos nós somos manipulados, mas não totalmente desprovidos de vontade. A manipulação não precisa de recursos complexos. Por exemplo, quando olhamos um cardápio em um restaurante, a chance de escolher os primeiros pratos é enorme — isso acontece porque prestamos mais atenção ao

O NOVO GNOSTICISMO **87**

começo de cada texto. Os restaurantes, exatamente por isso, sempre colocam os pratos mais viáveis no topo da lista.

Claro que todos os seres humanos são influenciáveis. A natureza humana é caída. Temos o que a teologia chama de "inclinação" para o mal. Somos propensos ao engano e ao autoengano. O que os conspiracionistas esquecem é que a busca desenfreada por "verdades secretas" é um processo poderoso de autoengano. É sempre mais fácil chegar à verdade de um fato por meio de uma comunidade informativa do que pelo obscurantismo do cinismo. Os conspiracionistas estão sempre duvidando, em um cinismo sem limites. Duvidam de tudo: dados, pesquisas ou informações de especialistas.[4] Lembro sempre que Satanás foi o

---

[4] "Um cético é alguém suficientemente preocupado com a verdade a ponto de querer duvidar dela. Ele quer saber se pode ou não confiar [no que lhe é apresentado como verdadeiro]. A política da pós-verdade implica não se importar mais com a verdade: só o que queremos saber é como nos sentimos a respeito de uma determinada coisa.

O ceticismo é uma força positiva, porque precisamos duvidar do que nos é dito, não apenas pelo bem da ciência, mas também pelo bem da democracia. Uma vez que deixamos de nos preocupar suficientemente com a verdade a ponto de duvidar (de tudo), ficamos à mercê de quem grita mais alto ou cria mais confusão, o que é ruim tanto para a ciência quanto para a democracia. [...]

[A substituição do ceticismo pelo cinismo] tem tornado as pessoas mais desconfiadas umas das outras, e o resultado disso é que a política se torna cada vez mais divisora e sectária. A ascensão de correntes políticas populistas em diferentes lugares é parte do pacote. O populismo se alimenta do cinismo porque afirma que alguém, em algum lugar, está roubando a democracia do povo. Alguma dose de cinismo é inevitável num regime político democrático, pois há políticos corruptos e desonestos. O perigo é o cinismo virar a explicação padrão para tudo [em política]." David Runciman, em entrevista a Christian Schwartz, "Talvez este seja o fim do Estado moderno, diz professor de Cambridge". *Folha de S. Paulo*, 21 de janeiro de 2018, <https://www1.folha.uol.com.br/ilustrissima/2018/01/1951709-estamos-assistindo-ao-fim-do-estado-moderno-diz-professor-de-cambridge.shtml>. Acesso em 25 de abril de 2022.

88 QUEM TEM MEDO DOS EVANGÉLICOS?

primeiro cínico. O cínico gosta de semear a dúvida, assim como a antiga serpente semeou a dúvida sobre o caráter de Deus no Éden. Vemos o mesmo no Livro de Jó. Diante da corte celestial, o acusador angelical põe em dúvida o caráter de Jó. Na concepção de Satanás, Jó é apenas um interesseiro. O cinismo não é aquele ceticismo saudável e prudente que todo sábio cultiva, mas é a certeza de que o bem é impossível no outro. Satanás diz: "Certamente ele te amaldiçoará na tua face!" (Jó 1.11). Satanás tem uma certeza: o mal triunfará. Ele faz uma aposta. Que a doutrina da depravação total não nos faça esquecer que todo ser humano é, além de pecador, a imagem do próprio Deus. Em todos nós há a tensão entre o pecado e o reflexo da imagem divina. Quando perdemos isso de vista, vemos no outro apenas o mal absoluto. Deus, o Santíssimo, é o único que tem o direito de nos enxergar como o mal absoluto, mas ainda assim não o faz. É Deus quem reconhece as qualidades de Jó. O cínico é incapaz de achar qualidade no outro.

Como funciona a mente conspiracionista

Na cabeça dos conspiradores há sempre um pequeno grupo de pessoas poderosas que dominam e conduzem o mundo meticulosamente, assim como faziam os arcontes, seres nefastos que, segundo o mito gnóstico, governavam o cosmos e moldavam a matéria.[5] Tal agremiação maléfica controla todos os eventos e sabe com precisão as consequências dos eventos provocados. Esse agrupamento pode ser formado por famílias capitalistas

[5] Matthew J. Dillon, "Symbolic Loss, Memory, and Modernization in the Reception of Gnosticism", *Gnosis: Journal of Gnostic Studies* 1.1-2 (2016): p. 276-309.

bilionárias, banqueiros marxistas [*sic*], grandes magnatas da mídia, o governo de uma superpotência e até extraterrestres. Controlam pandemias, eleições nacionais e canais tradicionais de mídia, manipulando a opinião pública a seu bel-prazer. Na mente conspiracionista, a capacidade de controle dessa elite oculta é ampla o suficiente para moldar a história.

Todo mundo que já tentou, por exemplo, montar um negócio ou simplesmente organizar uma festa surpresa sabe que é impossível controlar as consequências futuras dessas decisões. Imagine, então, controlar e prever todas as consequências de atos regionais (como uma guerra) ou globais (como uma pandemia). Os teóricos ligam pontos que não existem, criam explicações simples para problemas complexos e tratam toda a sua teoria com a convicção de um mestre iluminado pela revelação. A teoria da conspiração é uma espécie do sentimento derivado da vaidade que, de tão vaidosa, se torna ridícula e risível.

O ressentimento é outro sentimento normalmente associado às teorias conspiratórias. Como diz o filósofo John Gray, "a paranoia muitas vezes é um protesto contra a insignificância".[6] Em um sotaque gnóstico, os teóricos da conspiração dizem deter uma verdade da qual ninguém se dá conta — apenas eles. Em uma lógica circular, afirmam que, uma vez que a sociedade não os aceita, aí está a prova de que possuem a verdade secreta que os demais ignoram. Embora Nietzsche — que considerava o ressentimento fruto da formação de valores do cristianismo — estivesse errado em sua interpretação da fé cristã,[7] é bem

---

[6] John Gray, *Missa negra: Religião apocalítica e o fim das utopias* (Rio de Janeiro: Record, 2008), p. 306.

[7] O filósofo alemão Max Scheler (1874–1928) corrige o equívoco de Nietzsche em seu livro *Da reviravolta dos valores* (Petrópolis, RJ: Vozes, 2012).

90 QUEM TEM MEDO DOS EVANGÉLICOS?

verdade que parte considerável dos cristãos modernos trabalha numa lógica binária segundo a qual é preciso ser odiado pelo mundo para manifestar o verdadeiro cristianismo. Nisso esses cristãos, contrariando os evangelhos, transformam o ressentimento em virtude. Jesus nunca falou em perseguição como um alvo a ser buscado e desejado, mas apenas como consequência direta de uma mensagem estranha a ouvidos endurecidos pelo pecado. De fato, embora perseguido, Jesus teve entre seus seguidores pessoas de todos os tipos, classes e etnias, sem criar com isso um clima de desconfiança mútua. Bem o contrário, na verdade.

As teorias conspiratórias não são exclusivas de uma direita delirante. A esquerda também as ama. Não faz muito tempo ouvíamos que a Lava Jato era uma operação do governo americano de olho no petróleo brasileiro. E essa tese era (e ainda é) levantada por professores universitários e jornalistas. Outros, em passado recente, acreditavam que a história fictícia de *O código Da Vinci*, romance policial de Dan Brown, era uma expressão de verdades factuais. Entre a direita e a esquerda, a teoria da conspiração também serve como arma de retórica política, mas é triste observar que os cristãos, que deveriam abraçar a verdade a qualquer custo, estão servindo e se servindo de notícias falsas para propósitos ideológicos.

Teorias conspiratórias e a visão escatológica dos evangélicos

As ideologias modernas propõem uma história linear, progressiva, que se desenrola até uma consumação. Esse centro de desenvolvimento é a base de toda escatologia secular. A escatologia é a teoria sobre o fim da história, sobre os "últimos

O NOVO GNOSTICISMO **91**

dias". Em conceito vulgarmente elaborado, para o ideólogo a mera obediência a certas diretrizes permite que a história siga um caminho com propósito e direção. A progressão dos fatos é normalmente entendida como um avanço contínuo que desemboca no sentido e na realidade última. A própria ideia de utopia traz em seu bojo a "consumação histórica". Em outras palavras, toda ideologia tem um céu a ser alcançado. O nazismo, em sua loucura, entendia estar em uma missão para esterilizar o mundo das raças impuras. O progresso contínuo, na visão infernal do totalitarismo racista, culminaria no triunfo do arianismo. Os comunistas acreditam, ainda hoje, que o desenvolvimento da sociedade precisa passar pela sociedade sem classes, nem que para isso seja necessário suprimir a democracia e o Estado de direito, que os comunistas chamam jocosamente de "Estado liberal". Os liberais, ou libertários, acreditam que o desenvolvimento econômico gerará um futuro inevitável de prosperidade e democracia, e para esse fim basta o encerramento das amarras estatais na economia de mercado. O neoconservadorismo americano acredita na ideia de que a força é capaz de exportar a democracia representativa pelo mundo, trazendo assim estabilidade e paz para ambientes conturbados como o Oriente Médio e o Norte da África. Essa é, em resumo, a escatologia dos seculares. São os céus da escatologia secular.

Parte considerável da escatologia evangélica também acredita que, mexendo alguns pauzinhos, é possível controlar a história futura. Certa vez peguei um livro de escatologia evangélica escrito na década de 1980. Nele se dizia que o Anticristo nasceria na União Soviética, mas poucos anos depois, em 1991, a União Soviética deixou de existir. Recentemente li a entrevista do mesmo autor e ele dizia que o Anticristo estará

92 QUEM TEM MEDO DOS EVANGÉLICOS?

ligado à China. O escritor não fez nenhum *mea culpa* sobre o erro do passado, em vez disso dobrou a aposta em uma nova teoria. Esse tipo de escatologia não se baseia na Bíblia, mas na especulação, em teorias conspiratórias e na interpretação paranoica do jornal diário. Na teologia cristã clássica, a escatologia não é uma especulação sobre o futuro, e sim o cultivo da bendita esperança: Jesus voltará no fim da história para a consumação de seu reino de justiça e verdade! Toda tentativa de adivinhação sobre eventos geopolíticos do futuro é um exercício sem sentido que fere as próprias recomendações de Jesus: "Não lhes compete saber os tempos ou as datas que o Pai estabeleceu pela sua própria autoridade" (At 1.7, NVI). Jesus deixou claro que não cabe a nós, meros mortais, prever, controlar e especular sobre o fim da história.

A especulação na escatologia não é um problema específico de uma escola de interpretação, embora, é claro, algumas delas tendam ao exagero com mais frequência do que outras, especialmente a escatologia expressa em obras como a série de ficção Deixados Para Trás, bastante popular entre os evangélicos brasileiros e americanos. Desde o início do cristianismo existiu uma tendência de cristãos leigos e teólogos a tentar entender os movimentos geopolíticos do mundo à luz das Escrituras. O problema de fundo é que a Bíblia não foi escrita para suprir curiosidades sobre a geopolítica do futuro. O excesso de milenarismo na igreja joga nas costas dos homens, e não em Cristo, a expectativa do protagonismo sobre o fim da história. Há quem pense que os últimos dias serão uma revisitação das Cruzadas em que o crente poderá ser um "novo soldado de Cristo" para derrotar os "novos mouros" (marxistas, feministas, militantes LGBTQIA+ etc.). Outros ainda pensam como o anabatista Jan van Leiden, do século 16, que como "profeta" dizia ter recebido do próprio Deus a incumbência para ser governador da Nova Jerusalém.

Ao longo da história, vários personagens já foram eleitos como anticristos ou precursores do Anticristo. Na epidemia da Peste Negra, em meados do século 14, os judeus foram acusados de envenenar os poços d'agua. Como os judeus eram menos vitimados pela doença (isso acontecia porque eram mais cuidadosos com o preparo da alimentação e com a higiene pessoal), muitos, naquela época, acreditavam que eram eles, os judeus, os verdadeiros responsáveis pela doença. Eram vistos, assim, como instrumentos do Anticristo. A teoria da conspiração se espalhou, e vários judeus foram perseguidos. O sentimento conspiracionista aliado a uma escatologia que via o anticristo nascido do judaísmo aumentou o sentimento odioso do antissemitismo. Devemos tomar muito cuidado com o conspiracionismo. Na busca pela verdade secreta muitos acabam abraçando uma mentira transparente.

É bem verdade que a escatologia bíblica tem elementos futuristas e de juízo, mas o foco é a bendita esperança do reino de Deus em Cristo Jesus. É um evento e um ato da soberania de Deus, não é o produto da força e da história humana. A escatologia, quando mal direcionada, torna-se mais um instrumento de produção de medo irracional, paranoia e teorias conspiratórias.

A ameaça real

O foco deste livro é lembrar aos leitores que os evangélicos não são o bicho-papão da democracia moderna. É verdade, porém, que o quadro complexo é mais complexo e pessimista. Infelizmente, os púlpitos evangélicos são fonte constante de teorias conspiratórias. É nesse ponto que a igreja evangélica brasileira representa um risco real ao Estado democrático de direito. O fascínio pelas teorias conspiratórias independe da religião, mas o espaço sagrado do púlpito é um meio eficaz de transmissão de ideias. Aquele que não frequenta uma igreja está sujeito às teorias conspiratórias em ambientes virtuais (redes sociais), mas raramente frequenta espaços sociais de transmissão de ideias (clubes, sindicatos, escolas). O evangélico, em contrapartida, além do ambiente virtual, muitas vezes ouve teorias conspiratórias vindas sob a capa da pregação da Palavra de Deus dentro de sua comunidade eclesiástica.

O fenômeno da pós-verdade, cultivada nos últimos anos pelos grupos políticos mais reacionários, é a maior máquina relativista já criada. A depender desses sujeitos, a afirmação da verdade sempre será uma prática impossível. Eles confundem fatos com opinião. Tudo se torna "narrativa política" como fruto de uma agenda secreta. É urgente que teólogos, pastores e pregadores se comprometam com a verdade e, também, se comprometam com o combate ao noticiário falso em suas igrejas e comunidades. Propagar teorias conspiratórias no púlpito de uma igreja é usar o espaço sagrado para transmitir mentiras, calúnias e difamações. Alguns pastores hoje sofrem processos e "cancelamentos" não porque pregam o evangelho, mas porque transformaram seu ministério em uma prédica infernal de mentiras e meias verdades. A notícia falsa — tanto fruto da maldade como do descuido — é uma variação do pecado da mentira. Os Pais da Igreja diziam que "toda verdade é verdade de Deus", de modo que podemos parafraseá-los e dizer que "toda mentira é mentira do diabo". O apóstolo Paulo, parecendo prever o nosso tempo, escreveu:

"Pois nada podemos contra a verdade, mas somente em favor da verdade" (2Co 13.8, NVI).

Não há virtude em sofrer pela mentira e pela estupidez, mas há virtude e graça em sofrer pela verdade e pelo evangelho. O apóstolo Pedro escreveu: "Procurem *viver de maneira exemplar entre os que não creem*. Assim, mesmo que eles os acusem de praticar o mal, verão seu comportamento correto e darão glória a Deus quando ele julgar o mundo", e também: "Se sofrerem, porém, que não seja por matar, roubar, *causar confusão* ou intrometer-se em assuntos alheios" (1Pe 2.12; 4.15; grifos meus). O apóstolo aponta que os leitores de sua epístola "deveriam respeitar as regras e os limites sociais greco-romanos, embora não a ponto de negar a Cristo".[8] O cristão que é "cancelado" porque agiu estupidamente a fim de não soar "politicamente correto", muitas vezes, é apenas o desbocado mal-educado que se acha o baluarte da cristandade. Jesus disse no Sermão do Monte: "Felizes são vocês quando, *por minha causa*, sofrerem zombaria e perseguição, e *quando outros*, *mentindo*, disserem todo tipo de maldade a seu respeito. Alegrem-se e exultem, porque uma grande recompensa os espera no céu. E lembrem-se de que os antigos profetas foram perseguidos da mesma forma" (Mt 5.11-12, grifos meus). Observe que não é uma zombaria por qualquer motivo, mas é uma zombaria causada pelo compromisso do crente com Cristo. Portanto, o crente que sofre porque pratica o mal não tem do que se gloriar; em vez disso, precisa caminhar para o arrependimento.

Toda a mentira da pós-verdade evangélica é justificada na maléfica *guerra cultural*. Se a verdade é a primeira vítima da

---

[8] Karen H. Jobe, *1Pedro*, Comentário Exegético (São Paulo: Vida Nova, 2022), p. 318. Veja também 1Pe 2.12-17; 2.18-3.7.

guerra convencional, o mesmo pode ser dito das consequências das guerras culturais. Na ânsia de achar um inimigo a ser combatido, os escrúpulos e a prudência são descartados como vícios. Muitas vezes tenho a impressão de que a histeria que enxerga o diabo em tudo aumentou em nosso meio, e infelizmente o grande problema dessa postura é que quem assim age não raro ignora onde o diabo realmente está. A igreja não tem o chamado de viver em clima de "caça às bruxas". Jesus nos ensinou a não arrancar o joio antes do tempo porque corremos o risco de destruir o trigo no processo (Mt 13.24-30). Enquanto crescem juntos na plantação, é difícil discernir pela aparência os dois grãos. Uma vez que o joio se entrelaça ao trigo, qualquer operação de extermínio do joio levaria muito do trigo junto. Com frequência podemos desejar legitimamente purificar a igreja de todos os seus vícios e, com isso, expulsar com fervor aqueles que julgamos responsáveis por seus males. O problema desse afã é que gente comprometida com Deus pode perder a fé ao ser ferida pelos limpadores da eira. No passado, enquanto a igreja queimava hereges na fogueira e perseguia "bruxas" com base em *fake news*, muitos homens de fé passaram a questionar o cristianismo. Com o tempo, muito do trigo morreu com o joio. Esperar o juízo final para a separação completa do joio e do trigo não é tolerância com o erro, nem depõe contra a disciplina eclesiástica ensinada por Cristo. Antes, é uma confiança no trabalho do único juiz imparcial deste universo. O único juiz que não errará em sua sentença.

A frenética guerra cultural não honra o evangelho porque faz dele mais uma ideia qualquer no mercado de ideias banais. É uma apologia que, em vez de defender a universalidade das boas-novas, reduz a fé cristã a uma agenda com três ou quatro pautas morais. A guerra cultural, no afã de combater o pecado específico, transforma o cristianismo em mero antagonista do erro parcial. Karl Barth escreveu: "O Evangelho não constitui uma verdade entre outras, mas questiona todas as verdades. O Evangelho é o marco, e não a porta [...]. Ele é eliminação e fundamentação de tudo o que existe [...][O Evangelho] não precisa ser defendido e carregado, ele defende e carrega aqueles que o ouvem e proclamam".[9] Diante do erro parcial, o cristão deve apresentar ao mundo a verdade total. Se somos conhecidos apenas como os "anti-isso" e os "anti-aquilo", tão somente empobreceremos a fé em Cristo, aquele que é a verdade.

Essa histeria política que toma muitos cristãos não é só uma fagulha antidemocrática, mas é, também, um desrespeito à Sagrada Escritura. Recentemente, um deputado evangélico propôs a proibição de filmes que atacam a fé. Em 2017, houve uma campanha na internet querendo proibir a palestra de uma filósofa defensora da teoria de gênero. O texto do abaixo-assinado dizia que filósofa Judith Butler não era bem-vinda ao país. O apóstolo Pedro, em sua primeira epístola, disse que devemos apresentar a "esperança" que há em nós "de modo amável e respeitoso" (1Pe 3.15-16). O que apresentamos ao mundo é uma esperança internalizada ou uma ideologia bélica? Defendemos a fé com mansidão ou com a raiva que mancha os olhos com sangue? Os cristãos ofendiam Roma não porque chamavam César de "efeminado pervertido", mas sim porque, numa palavra positiva, diziam que Jesus era o único e verdadeiro Senhor.

---

[9] Karl Barth, *A Carta aos Romanos* (São Leopoldo, RS: Editora Sinodal/EST, 2016), p. 79.

5

Por que e como os evangélicos devem fazer política

Os evangélicos não são cidadãos de segunda classe. O "povo de Deus" pode e deve fazer política. Os cristãos — e os religiosos de modo geral — precisam se envolver nas questões do Estado. Homens e mulheres que buscam uma vida de piedade não fazem mal em trabalhar pela defesa de pautas que julgam legítimas. A democracia que exclui a voz do religioso não é plena. A voz secular não é a única legítima. É verdade que não devemos buscar preferência sobre os demais em uma República, mas também não devemos aceitar a exclusão de nossa voz. Nem anteposição nem impugnação. A questão não é se podemos fazer política, mas *como* devemos fazê-la. Somos chamados por Jesus Cristo a sermos o "sal da terra" e a "luz do mundo". Esse é um chamado político porque é um chamado público, uma convocação à publicidade da fé encarnada na ética e no compromisso com o outro. Somos chamados a preservar o que é bom e expulsar as trevas da ignorância e do desamor pela luz do evangelho.

A elite cultural brasileira, em sua brutal ignorância sobre o papel da religião, costuma confundir laicismo com laicidade. O Estado laico não é nem o Estado religioso nem o antirreligioso, mas é o Estado que mantém a tensão saudável entre o religioso e o antirreligioso. O *establishment* pensante enxerga a religião como um empecilho para a democracia plena,

100 QUEM TEM MEDO DOS EVANGÉLICOS?

quando deveria acolher a religião como o espaço da memória e do enraizamento do homem comum. Esse grupo, ao destilar preconceitos, abraça a laicidade antirreligiosa da escola revolucionária francesa, que é a mesma visão que legitimou a violência de Maximilien de Robespierre contra a religião. Seguindo o espírito de Jean Meslier, sonham no inconsciente com a ideia de que "o homem só será livre quando o último rei for enforcado nas tripas do último padre". É uma visão autoritária que entra em êxtase e celebra protestos que promovem invasões e destruições de igrejas ao redor do mundo — como recentemente aconteceu no Chile, em 2020.[1] É um discurso que também legitima a imposição. Estado laico não é ausência do religioso no espaço público, como já afirmado, porque a ausência de uma voz religiosa é silenciamento de parte considerável da população. O silenciamento é incompatível com o espaço social livre e democrático. O silenciamento é imposição de poder — e a imposição de poder também acontece na incivilidade do grito elegante do secular. O Estado laico é, sem dúvida, o Estado sem religião oficial, em que todos podem exercer livremente suas crenças e, também, em que o Estado não assume nenhuma posição religiosa ou antirreligiosa *a priori*.

Alguém poderia contra-argumentar que não se deve tolerar a intolerância dos religiosos, ou seja, não se deve tolerar aqueles que minam as bases da democracia. É bem verdade que a democracia pode morrer quando se tolera quem a nega. A repressão é, por vezes, um mal necessário. Ninguém, em

---

[1] Rocío Montes, "Duas igrejas são incendiadas no primeiro aniversário das revoltas no Chile", *El País*, 19 de outubro de 2020, <https://brasil.elpais.com/internacional/2020-10-19/duas-igrejas-sao-incendiadas-no-primeiro-aniversario-das-revoltas-no-chile.html>. Acesso em 25 de abril de 2022.

POR QUE E COMO OS EVANGÉLICOS DEVEM FAZER POLÍTICA **101**

sã consciência, acredita que devemos deixar um homicida à vontade em suas ameaças contra a integridade física de outrem ou que devemos permitir a um pedófilo exercer a plena "liberdade de expressão" sobre a "legitimidade" do abuso de crianças. A liberdade de expressão é um direito, mas nenhum direito é absoluto. A discussão aqui proposta, contudo, vai além da liberdade de expressão. Trata-se, também, da liberdade de crença. Embora relacionada, o Estado democrático moderno normalmente distingue a liberdade de expressão e a liberdade de crença religiosa. A crença religiosa não é igual a uma opinião sobre como deve funcionar o sistema de saúde ou sobre como deve ser o policiamento da cidade. Ela diz respeito a um senso mais íntimo de afetividade, vontade e pensamento que molda não apenas a personalidade do indivíduo como também a cultura de uma comunidade inteira. Isso não quer dizer que a religião esteja acima do pacto social democrático expresso em leis e instituições, mas quer dizer apenas que o sentimento religioso deve ser respeitado assim como respeitamos qualquer sentimento profundo e íntimo de um indivíduo ou de uma comunidade.

No Estado laico religiosos e não religiosos são respeitados. No Estado radicalmente secular a religião é banida para a privacidade do indivíduo no silenciamento e no apagamento. É a velha diferença entre laicidade e laicismo — que não são meros sinônimos. Na laicidade, o Estado não deve abraçar ou privilegiar uma religião em detrimento de outra. O ideal democrático demanda a pluralidade no seio do Estado: abrigados nele devem estar os religiosos e os não religiosos, os crentes e os ateus, os crédulos e os agnósticos, os místicos e os racionalistas, os pré-modernos e os pós-modernos, e assim por diante. O Estado não deve militar por uma religião, nem pelo

102 QUEM TEM MEDO DOS EVANGÉLICOS?

esmagamento do sagrado. No laicismo, em contrapartida, o religioso é excluído da arena pública. O teólogo Karol Wojtyla, o papa João Paulo II, definiu bem o laicismo como "uma ideologia que leva gradualmente, de forma mais ou menos consciente, à restrição da liberdade religiosa, até promover o desprezo ou a ignorância de tudo o que seja religioso, relegando a fé à esfera do privado e opondo-se à sua expressão pública", e complementou ainda que "não se pode limitar a liberdade religiosa sem privar o homem de algo fundamental".[2] Para o cristão, a base de sua comunidade é a comunhão com Deus e com os demais cristãos. A comunhão precede a comunidade. Portanto, privar a pessoa de comunhão é privá-la da própria comunidade. Desprezar a ação religiosa do cristão no ambiente público é violentá-lo numa desconstrução de sua própria personalidade.

Todos nós, evangélicos, devemos anelar o Estado laico. O Estado laico é um conceito essencialmente protestante. Historicamente, em países em que havia uma religião tida como oficial, os evangélicos, com razão, lembravam que o Estado é laico, ou seja, o Estado não pode priorizar um grupo religioso em detrimento de outro. Os evangélicos brasileiros, que agora caminham para assumir o posto da Igreja Católica Romana no número de associados e membros, precisam manter a coerência de sua postura histórica. Devemos rejeitar e abominar qualquer tipo de Estado teocrático, mesmo que este seja cristão, e igualmente devemos ojerizar qualquer mistura entre Estado e igreja. A postura da igreja não é a de um partido de ocasião ou de oposição ao governo, mas é a de voz profética

[2] Citado em Conferência Nacional dos Bispos do Brasil, *Fé cristã e laicidade*, Subsídios Doutrinais (Brasília: Edições CNBB, 2018), p. 18.

POR QUE E COMO OS EVANGÉLICOS DEVEM FAZER POLÍTICA **103**

da nação. O profeta pode conformar e confirmar o coração do rei, mas muitas vezes terá de apontar os pecados do monarca. A sensibilidade profética não combina com a palavra sempre lisonjeira dos bajuladores de políticos.

Rejeitamos, também, um Estado que despreza toda a riqueza da religião como superstição a ser superada, relegando o religioso ao ostracismo. Na democracia plena, fé e razão, assim como religião e secularidade, convivem em um processo de diálogo constante que resulta em "uma purificação recíproca" e um "mútuo racionamento" para uma "nova forma de iluminação".[3] Em outras palavras, o homem secular — que é o humanista sem Deus e o amante da razão — deve enxergar a fé religiosa como aliada. Não é a religião o melhor instrumento para frear o orgulho cientificista que produz uma bomba capaz de destruir metade da humanidade?

Os evangélicos e o temor do ostracismo

Os evangélicos, com razão, temem o ostracismo promovido pelos secularistas mais radicais que olham a razão, o Iluminismo e a liberdade como as únicas virtudes possíveis no convívio social moderno. E, nesse ponto, os progressistas brasileiros (americanos e europeus também) são especialmente culpados de fazer pouco caso desse tipo de preocupação, julgando-a sempre como estupidez e medo irracional. Parte da resistência religiosa dos evangélicos à esquerda se deve à visão de que, com a

---

[3] Essas são expressões caras da teologia pública do teólogo alemão Joseph Ratzinger, o papa Bento XVI. Veja Marco Tosatti, *Dicionário do Papa Ratzinger* (Lisboa: Paulus, 2006), p. 39. Leia a argumentação completa de Ratzinger em Jürgen Habermas e Joseph Ratzinger, *Dialética da secularização: Sobre razão e religião* (São Paulo: Ideias & Letras, 2007), p. 87-90.

104 QUEM TEM MEDO DOS EVANGÉLICOS?

esquerda no poder, a tendência de longo prazo é a diminuição da fala religiosa no espaço público. Embora em alguns casos seja paranoia com teor de teoria conspiratória, em outros é um medo bem factual. Em países altamente secularizados, como Canadá, Nova Zelândia, Suécia, Inglaterra e França, é cada vez mais difícil estruturar uma igreja evangélica devido à burocracia, e em muitas grandes cidades dessas nações desenvolvidas é quase impossível praticar a pregação religiosa pública em razão do excesso de regulação. Muitas falas contra o chamado "discurso de ódio" têm sido direcionadas aos evangélicos como forma de censura velada e virtuosa. A linha entre o combate ao discurso de ódio e a censura autoritária é finíssima. Como dizia C. S. Lewis: "De todas as tiranias, a tirania exercida com sinceridade pelo bem de suas vítimas pode ser a mais opressiva".[4]

No Brasil, não é raro observar intelectuais, artistas e figuras do meio progressista incomodados com manifestações públicas de fé evangélica. Exemplos não faltam. Em fevereiro de 2020, a cineasta Petra Costa associou o crescimento do racismo aos evangélicos em um programa de TV norte-americano. Segundo a cineasta, os "evangélicos estão se levantando contra pessoas de cor"[5]— quando o movimento evangélico é a expressão religiosa mais negra do Brasil. Em novembro de 2021, o ator Paulo Betti escreveu em sua página no Twitter uma crítica ao jogador Weverton: "O discurso do goleiro do Palmeiras depois do jogo, aquela falação sobre Deus quando

[4] C. S. Lewis, *Deus no banco dos réus* (Rio de Janeiro: Thomas Nelson Brasil, 2018), p. 357.
[5] Amanpour & Company, "Oscar Nominee Petra Costa on Threats to Democracy in Brazil", PBS, 31 de janeiro de 2020, <https://www.pbs.org/video/oscar-nominee-petra-costa-edge-democracy-7qe0hi/>. Acesso em 25 de maio de 2022.

POR QUE E COMO OS EVANGÉLICOS DEVEM FAZER POLÍTICA **105**

devia estar comemorando, aquela cena dele rezando antes de começar o jogo, me fez lembrar do goleiro Bruno, que rezava no Maraca e depois ia matar a moça e jogar pros [sic] cães. Explica muito o Brasil". Após a repercussão negativa, Betti apagou o *post*.[6] Esse incômodo com jogadores que oram não é novo. Na década de 2000, quando o jogador Kaká e outros atletas evangélicos comemoravam gols com gestos de agradecimento a Jesus Cristo, o jornalista Juca Kfouri, uma figura abertamente de vanguarda, protestava em suas colunas de jornalismo esportivo contra esses atos de manifestação religiosa. À época, Kfouri chamou a ação dos jogadores evangélicos de "proselitismo religioso". Em coluna na *Folha de S. Paulo* de 30 de julho de 2009, escreveu: "Que cada um faça o que bem entender de suas crenças nos locais apropriados para tal, mas não queiram impingi-las nossas goelas abaixo, porque fazê-lo é uma invasão inadmissível e irritante".[7] Mas por que um simples gesto de oração é o mesmo que enfiar uma crença "goela abaixo"? Qual seria o local apropriado? Apenas o ambiente fechado de uma igreja? As crenças religiosas deveriam ser escondidas como escondemos a intimidade do sexo? Por que apenas as crenças religiosas deveriam ficar fechadas no armário? Por que podemos expressar nossas crenças políticas, sociais e ideológicas em praça pública, mas não podemos fazer

---

[6] Douglas Lima, "Paulo Betti compara Weverton do Palmeiras ao goleiro Bruno", *Correio Braziliense*, 30 de novembro de 2021, <https://www.correiobraziliense.com.br/diversao-e-arte/2021/11/4967134-paulo-betti-compara-weverton-do-palmeiras-ao-goleiro-bruno.html>. Acesso em 25 de abril de 2022.

[7] Juca Kfouri, "Deixem Jesus em paz", *Folha de S. Paulo*, 30 de julho de 2009, <https://www1.folha.uol.com.br/fsp/esporte/fk3007200922.htm>. Acesso em 25 de abril de 2022.

106 QUEM TEM MEDO DOS EVANGÉLICOS?

o mesmo com a fé? É esse tipo de ranço contra a voz religiosa característico da velha esquerda — grupo que, a exemplo de Karl Marx, enxerga a religião como o ópio do povo — o que faz com que parte considerável dos evangélicos nutra certo temor de governos progressistas.

Como parte dessa cadeia de preconceitos enraizados, muito se fala na imprensa sobre a figura dos "traficantes evangélicos", especialmente na cidade do Rio de Janeiro. Alguns usam esse terrível fato como exemplo do "domínio" político e social dos evangélicos. É bem verdade que alguns traficantes se identificam como "crentes" e cantam louvores com fuzis nas mãos, ao mesmo tempo que expulsam seguidores de religiões de matriz africana das regiões de domínio das gangues. Tudo isso é um completo absurdo, a começar pelo próprio poder territorial exercido pelas facções criminosas. Mas não devemos esquecer que o "bandido religioso" é uma longa tradição latina. Dos mafiosos italianos, passando pelos narcotraficantes colombianos e mexicanos, muitos exerceram uma forte fé católica, chegando a contribuir financeiramente com paróquias e obras de caridade.[8] No Brasil, no passado, alguns traficantes buscavam "passes" em cultos de matriz africana antes de suas práticas criminosas,[9] e nem por isso acadêmicos e a imprensa estigmatizavam esse grupo como os "bandidos da Umbanda" — o que seria, com

[8] Sobre a perseguição a evangélicos no México, especialmente em comunidades rurais, veja o relatório do governo americano acerca do assunto: <https://www.state.gov/reports/2020-report-on-international-religious-freedom/mexico/>. Acesso em 25 de maio de 2022.

[9] A antropóloga Yvonne Maggie, especialista em religiões de matriz africana, relata o caso de um traficante que acreditava na proteção do "corpo fechado" antes dos crimes: <https://g1.globo.com/pop-arte/blog/yvonne-maggie/post/traficante-playboy-e-fe-no-corpo-fechado.html>. Acesso em 25 de maio de 2022.

POR QUE E COMO OS EVANGÉLICOS DEVEM FAZER POLÍTICA **107**

toda razão, exemplo de racismo e discriminação.[10] Essa não é uma novidade evangélica. Será que a ênfase demasiada no qualitativo "evangélico" para falar de traficantes não é um meio de criminalização do grupo como um todo? Essa é, de fato, a face pública mais característica dos evangélicos? É óbvio que não.

O fazer política

Política é um termo polissêmico. Como substantivo feminino, significa uma atividade a serviço da cidade. Como substantivo masculino, indica o agente dessa atividade ou a própria natureza desse serviço. A política, como bem define o *Dicionário Houaiss*, "é arte ou ciência da organização, direção e administração de nações ou Estados; aplicação desta arte aos negócios internos da nação (política interna) ou aos negócios externos (política externa)". Todo habitante da cidade necessariamente faz e consome política, mesmo desinteressado pela política partidária. A política não se resume aos partidos e a outras instituições relacionadas, como as casas legislativas e os palácios do executivo. O homem é um civil porque é um ser social. *Grosso modo*, a política pode ser resumida como a tensão constante entre continuidade e progresso, tradição e revolução, preservação e mudança.[11] Sendo a tensão uma marca da

---

[10] No passado, o estigma também existiu em alguns órgãos de imprensa e na polícia associando bandidos aos cultos de matriz africana. Sobre o desenvolvimento da religiosidade dos traficantes (passando das religiões de matriz africana para as igrejas evangélicos), veja Christina Vital da Cunha, "Religião e criminalidade: traficantes e evangélicos entre os anos 1980 e 2000 nas favelas cariocas", *Religião & Sociedade* [online], 2014, v. 34, n. 1, p. 61-93.

[11] Pierre Gisel, *Enciclopédia do Protestantismo* (São Paulo: Hagnos, 2016), p. 1375.

108 QUEM TEM MEDO DOS EVANGÉLICOS?

política, a democracia deve ser o espaço constante de tensão positiva entre religiosos e antirreligiosos.

A política desprovida de qualquer dimensão ética é uma atividade sem controle, absolutista, autoritária e totalitária. É amoral, imoral e corrupta. A ética cristã tem um papel essencial na regulação das atividades políticas, especialmente como voz profética na sociedade contemporânea. Servir a Cristo como Salvador e Senhor tem sérias implicações éticas nas atividades públicas e políticas, tendo em vista que somos cidadãos de duas cidades, a terrena e a celestial. Essa dimensão é intercambiável, e nossa maneira de viver no presente deve refletir a esperança que temos na eternidade. Cristo é o centro e a norma de qualquer relacionamento humano e, portanto, como Deus que é, não passa despercebido no cotidiano da vida pública do verdadeiro cristão, mesmo com os esforços crescentes do secularismo para fazer da religião um valor unicamente de foro íntimo, sem expressão social. O cristão, acima de tudo, precisa vivenciar a política a partir da perspectiva de quem serve a um Rei eterno. Cristo é inseparável de seu reino, como bem lembra Miroslav Volf: "O reino veio na atividade do próprio Jesus. Não se pode ter o reino sem ter Jesus Cristo; não se pode ter Jesus Cristo sem ter o reino".[12] Nós somos servos desse Rei e súditos desse reino em terra estrangeira.

A política é a busca do bem comum. É a vivência em comunidade. Embora o bem comum tenha características locais — como o asfalto na rua que beneficia moradores e viajantes ou a vacina que previne a doença de crianças recém-nascidas e de

[12] Miroslav Volf e Ryan McAnnally-Linz, *Public Faith in Action: How to Engage with Commitment, Conviction, and Courage* (Grand Rapids: Brazos Press, 2017), p. 7.

POR QUE E COMO OS EVANGÉLICOS DEVEM FAZER POLÍTICA **109**

idosos — o bem comum tem uma ligação com valores universais. Ora, facilitar o trânsito de pessoas é, também, permitir a liberdade do ir e vir, e vacinar crianças e velhos é, igualmente, cuidar dos vulneráveis. Cada ato político tem implicações na sociedade como um todo. Mas algumas necessidades transcendem o Estado ou a nação e não estão restritas à bolha em que vivemos. Por isso, a busca pelo bem comum passa pela *globalização* de soluções. Não é à toa a necessidade crescente de reflexão sobre o meio ambiente, por exemplo, porque a forma como uma nação se comporta pode afetar diretamente todo o planeta. A Bíblia mostra que Deus tanto criou a terra em Gênesis como renovará essa mesma terra no Apocalipse. De alguma forma, Deus leva tão a sério sua criação que esta será ressuscitada. O que isso implica ao cristão? Como escreveu John Stott: "Deus nos faz, no sentido mais literal, 'zeladores' de sua propriedade".[13] A busca pelo bem comum passa pela consciência de que somos mordomos nesta terra e desta terra. Se temos um comportamento destrutivo, sem nenhuma reflexão sobre a consequência coletiva de nossos atos, só estamos fazendo florescer a natureza pecaminosa mesquinha, egoísta e autocentrada. Embora sempre haja o perigo de abraçar causas globalizantes (como a preservação do meio ambiente) como escapismo para problemas mais próximos — e de pessoas mais próximas — o cristão não pode ignorar as consequências dos problemas do pecado estrutural.

A pauta cristã pública é o bem comum porque a Bíblia valoriza, incentiva e celebra a ideia de comunidade. Infelizmente, nossa tradição protestante pecou na doutrina da igreja

---

[13] John Stott, *Os cristãos e os desafios contemporâneos* (Viçosa, MG: Ultimato, 2014), p. 158.

110 QUEM TEM MEDO DOS EVANGÉLICOS?

e pouco enfatizou em sua pregação e ensino a importância da comunidade, destacando, em vez disso, a autonomia do indivíduo. Assim, o meio evangélico muitas vezes se preocupa mais com megatemplos e seu exército de "consumidores de adoração" do que com a comunhão dos santos. Esquece-se, assim, que a arma mais poderosa contra a igreja não é esse tal de "marxismo cultural", de que tanto se fala nas guerras culturais. A arma realmente mais poderosa contra a igreja está no espírito individualista. Igreja é comunhão. Individualismo é seu fim. Igreja é família ao redor da mesa, e não uma multidão dispersa em um *show*. É o partir do pão, e não a disputa pelo melhor ângulo do palco. Precisamos ensinar uma verdade bíblica preciosa: não existe cristianismo sem a vivência entre irmãos que compartilham a Palavra, os sacramentos, a liturgia, os dons e a oração conjunta.

Os cristãos com uma visão elevada de comunidade não apenas amarão e trabalharão pelo bem de sua comunidade eclesiástica, como também amarão e trabalharão pelo bem das outras comunidades de que fazem parte (família, empresa, escola, cidade, nação e o próprio planeta). O cristianismo é uma fé monoteísta e trinitária e, portanto, valoriza a unicidade da igualdade e a beleza das diferenças.[14] Democracia é sempre a busca pela igualdade sem uniformidade e da riqueza complementar da diferença sem exclusão. A comunidade precisa evitar o pecado do sectarismo, mas alguma tensão é não só inevitável como desejável. Da mesma forma, o cristão deve pensar a democracia não como uma espécie de uniformidade

---

[14] Miroslav Volf, *Exclusão e abraço: Uma reflexão teológica sobre identidade, alteridade e reconciliação* (São Paulo: Mundo Cristão, 2021), p. 23.

POR QUE E COMO OS EVANGÉLICOS DEVEM FAZER POLÍTICA **111**

imposta de cima para baixo, mas como um campo de pluralidade pacífica não uniforme.

A democracia e o pecado

O melhor modelo humano de governo é a democracia representativa dentro dos moldes de um Estado democrático de direito. É o modelo mais adequado para lidar com a sede pecaminosa de poder. "A democracia é a pior forma de governo imaginável, à exceção de todas as outras que foram experimentadas", como resumiu de forma magistral o primeiro-ministro inglês Winston Churchill em frase amplamente citada. A teocracia foi um modelo da Antiga Aliança em um contexto de "nação escolhida" para revelar o Messias ao mundo. A teocracia é estranha à Nova Aliança porque, como já dito no decorrer deste livro, no Novo Testamento não cabe o conceito de "nação eleita" como sinônimo de uma nacionalidade específica, mas como sinônimo de um grupo universalizante chamado igreja. Por sua vez, a democracia, como lembrava Abraham Kuyper, é "uma graça de Deus".[15] O teólogo Reinhold Niebuhr dizia: "A capacidade do homem para a justiça torna a democracia possível; mas a inclinação do homem para a injustiça torna a democracia necessária".[16] Correndo o risco de certo anacronismo, podemos afirmar que a Bíblia trabalha alguns pontos de democracia representativa. Por exemplo, o conceito do Espírito derramado sobre todo tipo de pessoa

[15] Abraham Kuyper, *Calvinismo* (São Paulo: Cultura Cristã, 2002), p. 91.
[16] Citado em Dennis McNutt, "Política para cristãos e outros pecadores", em: Michael D. Palmer (org.), *Panorama do pensamento cristão* (Rio de Janeiro: CPAD, 2001), p. 439.

112 QUEM TEM MEDO DOS EVANGÉLICOS?

presente no profeta Joel (Jl 2.28-32; ver At 2.17-18) mostra como a vontade de Deus é que o poder seja pulverizado. Em Números 11.24-29, no episódio conhecido como o primeiro Pentecostes da Bíblia, o Espírito Santo que estava sobre Moisés é repartido com os setenta anciãos, incluindo dois deles, Eldade e Medade, que não estavam sob a autoridade direta de Moisés.[17] Esse episódio expressa também a primeira experiência democrática do Antigo Oriente.[18] Deus dividiu o poder de Moisés com os setenta anciãos e, logo depois, Moisés sonha com o tempo em que o poder de Deus será dividido entre todo o povo de Israel (Nm 11.29).

O poder excessivo na mão de um homem é o caminho da destruição. O poder precisa ser constantemente limitado, dividido e pulverizado. Na teologia eclesiástica dos dons carismáticos do apóstolo Paulo, o que regula o poder desenfreado dos dons é o amor pela edificação coletiva do corpo de Cristo. O poder do indivíduo é limitado em sua atuação pelo bem da comunidade. É famosa a frase do historiador britânico John Dalberg-Acton: "O poder tende a corromper, e o poder absoluto corrompe absolutamente, de modo que os grandes homens são quase sempre homens maus". Na verdade, mais do que corromper, o poder desnuda a verdadeira natureza humana. O poder é um espelho da alma, como pontua Alister McGrath. O teólogo irlandês ainda lembra um ditado que diz: "O homem age como ele é quando pode fazer o que

[17] Massimo Cacciari e Paolo Prodi, *Ocidente sem Utopias* (Belo Horizonte: Âyiné, 2017), p. 23-34.
[18] Sobre a relação entre o derramamento do Espírito e os valores democráticos veja Amos Yong, *Quem é o Espírito Santo: Uma caminhada com os apóstolos* (Cuiabá: Palavra Fiel, 2019).

POR QUE E COMO OS EVANGÉLICOS DEVEM FAZER POLÍTICA **113**

ele quer".[19] Na série *House of Cards*, o personagem ambicioso Frank Underwood mostra numa frase porque o poder é mais sedutor do que o próprio dinheiro: "Dinheiro é mansão no bairro errado, que começa a desmoronar após dez anos. Poder é o velho edifício de pedra, que se mantém de pé por séculos". É o que o apóstolo João chama de "soberba da vida" (1Jo 2.15, RC). Portanto, uma forma de diluir o poder de um homem, especialmente dos governantes, é pela democracia em um Estado de direito. O cristão, como mostra C. S. Lewis, é democrata justamente porque tem uma visão pessimista sobre a natureza humana: "Sou democrata porque creio na Queda do ser humano. Acho que a maioria das pessoas é democrata pelo motivo oposto".[20]

E é também justamente porque cremos na soberania e na glória de Deus que jamais podemos consentir com homens com sede do absoluto. Ora, "se Deus, que habita na eternidade, condescendia em morar com o humilde e ouvir o pedido de uma Ana, nenhuma autoridade política humana poderia se exaltar além da crítica, tornando-se inacessível", como afirma o teólogo Christopher Wright.[21] Qualquer pessoa, inclusive pastores, que se coloca acima do bem e do mal, da crítica e da satisfação com a comunidade, está tentando usurpar o papel de Deus e é anátema. Em suma, a própria ortodoxia cristã, com afirmações simples do tipo "somente Deus é Todo-poderoso"

---

[19] Alister McGrath, *Surpreendido pelo sentido: Ciência, fé e como fazemos que as coisas façam sentido* (São Paulo: Hagnos, 2015), p. 132.

[20] C. S. Lewis, *Ética para viver melhor: Diferentes atitudes para agir corretamente* (São Paulo: Pórtico, 2017), p. 47.

[21] Christopher J. H. Wright, *Povo, terra e Deus: A relevância da ética do Antigo Testamento para a sociedade de hoje* (São Paulo: ABU Editora, 1991), p. 131.

114 QUEM TEM MEDO DOS EVANGÉLICOS?

e "o ser humano é inclinado ao mal", reafirma a necessidade da democracia representativa.

Quando se fala em política é importante lembrar que a Bíblia não é serva de ideologias. Exemplo é como conservadores e progressistas entendem a economia. O primeiro grupo tende a destacar a produtividade e condenar o assistencialismo. O segundo grupo tende a ignorar fatores de produtividade e abraçar como causa a defesa do igualitarismo absoluto. Ambos usam as Escrituras para justificar esse tipo de pensamento prévio que possuem. Miroslav Volf exemplifica essa polaridade e mostra como a Bíblia não está necessariamente fechada com alguma posição. O "retrato econômico" das Escrituras é mais complexo e completo:

> Quando Jesus fala sobre o que poderíamos chamar de assuntos "econômicos", sua preocupação geralmente se concentra na situação dos pobres. A versão de Lucas das bem-aventuranças inclui: "Bem-aventurados são vocês, pobres, pois o reino de Deus lhes pertence" (Lc 6.20), acompanhado do dito simétrico: "Mas ai de vocês, ricos, pois já receberam sua consolação" (Lc 6.24). Em si mesmas, essas passagens e outras similares poderiam facilmente nos levar a pensar que a distribuição de bens é tudo o que importa. Uma leitura cuidadosa dos Evangelhos, no entanto, mostra que eles pressupõem a produção de bens através do trabalho humano. Juntamente com a ênfase na distribuição justa, o lado da produção da economia recebe um tratamento mais completo e mais explícito nas Escrituras hebraicas, desde o início, quando "O Senhor Deus colocou o homem no jardim do Éden para cultivá-lo e tomar conta dele" (Gn 2.15). À medida que nos voltamos para os Evangelhos e para o Novo Testamento de forma mais ampla, tendo as preocupações da Bíblia hebraica em mente, o pano de fundo da produção ganha foco mais nítido. Mesmo em uma

POR QUE E COMO OS EVANGÉLICOS DEVEM FAZER POLÍTICA **115**

história como a de Jesus alimentando os cinco mil (Mt 14.13-21), em que a ênfase recai sobre a maravilhosa provisão de Deus, trata-se da multiplicação do pão que vem da lavoura humana da terra e dos peixes capturados através do labor humano.[22]

Outro ponto essencial da política contemporânea é a construção de instituições sólidas (Poder Legislativo, Poder Executivo, Poder Judiciário, Ministério Público, imprensa, igrejas, sindicatos, escolas, famílias etc.). O bom funcionamento da sociedade passa pelo equilíbrio e o fortalecimento das instituições. A instituição é uma elite organizada — e toda democracia sólida apresenta uma saudável disputa de elites em busca da aprovação popular (seja em voto, seja em popularidade, seja em retorno financeiro).[23] Ao cristão evangélico, especialmente no contexto brasileiro, cabe a luta dentro do espaço democrático pelo fortalecimento de duas instituições bíblicas, a saber, a igreja e a família. Não existe democracia plena se a igreja é desprovida de voz só porque é igreja. Embora a igreja, como corpo místico de Cristo, não possa ser destruída pelas portas do inferno, a igreja enquanto instituição pode evaporar. "As instituições não se protegem sozinhas. Desmoronam uma depois da outra se cada uma delas não for defendida desde o início."[24]

A política é, sim, uma atividade do cristão. Não existe vácuo na política. Se o cristão se calar, outro falará. O princípio de ser sal da terra passa justamente pela consciência que não nascemos como cristãos apenas para vivenciar cultos e atos de

---

[22] Volf e McAnnally-Linz, *Public Faith in Action*, p. 19-20.
[23] Davi Lago, *Brasil polifônico: Os evangélicos e as estruturas de poder* (São Paulo: Mundo Cristão, 2018), p. 101.
[24] Timothy Snyder, *Sobre a tirania: Vinte lições do século XX para o presente* (São Paulo: Companhia das Letras, 2017), p. 106.

adoração em um prédio chamado igreja, fechados em quatro paredes. A comunhão nascida ali, na igreja, deve refletir-se no bom comportamento do cristão enquanto luz do mundo. A política, de fato, pode ser diabólica, mas também pode ser a oportunidade de testemunhar a Cristo, o único Senhor.

CONCLUSÃO
O legado evangélico

Muito se discute sobre a real influência da igreja evangélica na sociedade brasileira. Os próprios evangélicos se perguntam se a sociedade vem sendo transformada para melhor com o crescimento das igrejas. A resposta a essa questão é complexa. Mesmo em meio a escândalos de pastores com acesso ao poder político e econômico, os evangélicos estão aos poucos deixando um legado positivo na sociedade brasileira. Como já enfatizado neste livro, os evangélicos são mais atuantes nas classes vulneráveis, especialmente nos grandes centros urbanos. A maioria dos pastores é tão pobre quanto o próprio rebanho. Talvez este capítulo seja lido pelos críticos dos evangélicos como escrito por um portador da Síndrome de Poliana — um sujeito afetado por uma espécie de positividade irrealista. Não é o caso. Estou ciente dos mil defeitos dos evangélicos. Mas é necessário lembrar a herança positiva que muitas vezes escapa das páginas dos jornais — até porque a essência do jornalismo é apresentar o mal do mundo.

O legado mais importante está na formação de comunidades entre os migrantes das periferias. O rompimento comunitário é, como qualquer rompimento, um tipo de violência simbólica que naturalmente deixa marcas e dores. O migrante, em geral, sai do interior para os grandes centros em um ambiente metropolitano que é especialmente individualista e ditado pelo ritmo feroz de tempo, dinheiro e produtividade. O objetivo central do migrante é a busca de uma vida melhor.

118 QUEM TEM MEDO DOS EVANGÉLICOS?

Desarraigado de suas origens, família e cultura, o migrante é mais um "ninguém" no espaço enorme de enlaces de ruas, avenidas e prédios. Ao mesmo tempo que vive em terra estranha e indiferente, o migrante carrega suas raízes como um peso constante que, como escreve o poeta Carlos Drummond de Andrade, diz em seu interior: "Quando vim da minha terra, não vim, perdi-me no espaço, na ilusão de ter saído". Nas igrejas evangélicas o migrante encontra uma família e acaba se encontrando. Nos cultos é comum o visitante expressar que está conhecendo "mais um pedaço da família de Deus". Em algumas igrejas pentecostais o migrante leva consigo a chamada "carta de recomendação", que é a testificação por escrito do antigo pastor de que o novo membro recebido pela igreja da capital é alguém digno de confiança porque "estava em plena comunhão" com a igreja que deixou no interior. Chamar estranhos de irmãos é um ato bastante simbólico nas metrópoles vazias de redes de afeto. Nas igrejas periféricas da região metropolitana de São Paulo, por exemplo, observa-se facilmente a cultura nordestina nas músicas da liturgia, nos pratos das festas de confraternização e até no sotaque dos pregadores. É uma comunidade não apenas religiosa, mas também um ponto de encontro de conterrâneos, um lugar onde o migrante percebe que não saiu de casa. O mesmo acontece com o imigrante brasileiro que vive nos Estados Unidos e na Europa e congrega em igrejas brasileiras no exterior.

Embora haja lideranças abusivas e centralizadoras nas igrejas evangélicas e até alguns multimilionários, nas igrejas pequenas essa liderança é altamente democrática e, também, bem pobre. É democrática porque precisa dividir o pouco poder para sobreviver. Boa parte dos pastores que dirigem congregações em favelas e nas periferias não ganha salário

CONCLUSÃO **119**

ou, quando muito, ganha uma pequena "ajuda de custo". Esses obreiros trabalham além da igreja como porteiros, seguranças, manobristas, caixas de supermercado, cozinheiros, auxiliares de enfermagem etc. Diferentemente da liderança midiática, os pastores de pequenas igrejas são o espelho exato da congregação. Nisso a diferença com a Igreja Católica é grande. O padre, mesmo quando é responsável por uma pequena paróquia na periferia, é alguém de elite — ainda que não seja da elite econômica, é parte da elite intelectual. Seus párocos podem ser semianalfabetos, mas a liderança religiosa católica já leu Aristóteles e Agostinho. O pastor da periferia não se diferencia nem mesmo na formação acadêmica, que é, muitas vezes, até mais baixa que a dos demais membros da congregação. Inconscientemente, esse espelho de "gente da gente" ajuda na formação de comunidades com lideranças mais próximas dos participantes.

Os evangélicos estão formando uma cultura livresca. Como herdeira da Reforma Protestante, a Bíblia é central na espiritualidade evangélica. A Bíblia é mais que um livro — é uma verdadeira biblioteca de 66 livros de gêneros diversos que envolvem narrativas, tratados, cartas, símbolos, poesia e ditos de sabedoria do Antigo Oriente. É bem verdade que a qualidade de leitura não é alta e os problemas de interpretação nos púlpitos são variados — a chamada exegese é pouquíssimo praticada, até mesmo pelos pregadores e pastores que são os oficiais da prédica. Mas a leitura, ainda que "não científica", está ocorrendo. Minha avó materna, já falecida, aprendeu a ler depois de adulta porque queria estudar a Bíblia. Nascida em lar católico em 1935, esse incentivo à leitura só aconteceu quando ela se tornou membro da Assembleia de Deus na década de 1980. Assim como aconteceu com minha

120 QUEM TEM MEDO DOS EVANGÉLICOS?

avó, muitos adultos evangélicos, antes analfabetos, aprenderam os rudimentos da alfabetização para ler os salmos bíblicos ou para acompanhar a letra dos hinários. E, na maioria dos casos, aprenderam a ler a Bíblia com a tradução de João Ferreira de Almeida, acessando o português mais clássico de Machado de Assis e Ruy Barbosa. A quinta pesquisa Retratos da Leitura (2020) do Instituto Pró-Livro e do Ibope Inteligência apontou que a Bíblia é o livro mais lido no Brasil, vindo em segundo lugar os contos e em terceiro lugar os livros religiosos.[1] Em levantamento anterior (2010), o mesmo instituto apontou que enquanto o brasileiro lê em média quatro livros por ano, essa média sobe para sete quando esse brasileiro é evangélico.[2] O comércio mais típico do evangélico é a livraria, e uma amostra disso se encontra na Rua Conde de Sarzedas, no centro de São Paulo, conhecida como a "rua dos evangélicos". Entre vendedores, galerias e pequenas lojas, o principal produto dessa rua comercial é o livro. Eu não conheço outra rua em São Paulo que agregue tantas livrarias em uma única quadra como a Conde de Sarzedas.

Ainda no campo cultural, a música erudita é outra área que vem usufruindo do legado positivo dos evangélicos. Se antes os músicos vinham de famílias de classe média alta que pagavam conservatórios, agora muitos chegam de igrejas como Assembleia de Deus, Congregação Cristã e igrejas batistas, que investem massivamente na formação de orquestras filarmônicas.

[1] Zoara Failla (org.), *Retratos da leitura no Brasil 5*, Instituto Pró-Livro, <https://www.prolivro.org.br/wp-content/uploads/2021/06/Retratos_da_leitura_5__o_livro_IPL.pdf>. Acesso em 25 de abril de 2022.

[2] "Evangélicos leem mais", *PublishNews*, 17 de junho de 2011, <https://www.publishnews.com.br/materias/2011/06/17/63853-evangelicos-leem-mais>. Acesso em 25 de abril de 2022.

CONCLUSÃO 121

O maestro Roberto Minczuk, um dos principais nomes da música erudita no Brasil, é um exemplo dessa influência. Minczuk começou tocando instrumentos musicais na igreja que frequentava com os pais, uma Assembleia de Deus de origem eslava. O número de evangélicos em orquestras sinfônicas pelo país é considerável. Um dos grupos mais tradicionais de origem evangélica é a Orquestra Filarmônica Jahn Sörheim, da Assembleia de Deus no bairro do Belenzinho, em São Paulo, que já gravou um CD na década de 1990 nas dependências do Teatro Municipal. Na Congregação Cristã praticamente todos os adolescentes aprendem a tocar algum instrumento. Em 2011, em torno de 70% dos componentes da Banda de Música da Aeronáutica em Brasília eram evangélicos.[3]

Ao mesmo tempo, os evangélicos, especialmente pentecostais, desde sempre cultivaram ritmos musicais regionais em sua liturgia. O carimbó do Pará, o forró do sertão, o sertanejo goiano e até certa versão do brega nordestino encontraram guarida nos cultos. Todos, é claro, com letras de louvor a Deus. Outra influência foram as marchas militares, formando um paralelo "santo" das marchinhas de Carnaval. O som dos batuques de alguns "corinhos de fogo", que é a forma como os pentecostais chamam as marchas em tom militar, lembram a sonoridade de antigas marchinhas de Carnaval da década de 1940. A brasilidade não foi jogada fora, pelo contrário, encontrou sua versão religiosa. O medo de que o avanço evangélico representa a subjugação da cultura brasileira pela cultura anglo-saxã não é

[3] Alexssander da Silva Lopes, "Uma igreja que canta, toca e cresce: princípios para o ministério de música no pentecostalismo brasileiro a partir da identidade litúrgico-musical da Assembleia de Deus", São Leopoldo, RS: Dissertação de Mestrado na Escola Superior de Teologia (EST), 2016, p. 55.

122 QUEM TEM MEDO DOS EVANGÉLICOS?

apenas paranoico, mas totalmente ignorante. O evangélico brasileiro é bem brasileiro — nas virtudes e nos vícios.

Talvez o legado evangélico mais desconhecido seja a tradução de Bíblias para línguas indígenas. Em muitos casos, esses idiomas e dialetos são falados apenas por um grupo pequeno de indígenas. Os tradutores não apenas traduzem como, antes disso, precisam formar uma gramática totalmente do zero. Ou seja, essas línguas não correm mais o risco de desaparecer graças ao trabalho árduo e paciente de formação de estruturas e regras gramaticais inéditas. Longe de representar um tipo de colonialismo, como já pode se alvoroçar a crítica rasteira, esse tipo de trabalho preserva um dos principais elementos de uma cultura, que é a linguagem. O que chama a atenção no processo de tradução é o tempo gasto: anos e anos de muito trabalho de escuta, consolidação da linguagem e formação da escrita.

O antropólogo Juliano Spyer usa o conceito de "estado de bem-estar social informal"[4] para indicar a ajuda mútua de evangélicos nas comunidades que congregam. Deparei muitas vezes com esse tipo de ajuda comunitária. Lembro certa vez que um irmão, funcionário de uma rede de estacionamento, pediu que o pastor avisasse após a pregação que estava disponível para levar o currículo de irmãos desempregados a seu empregador. A ajuda para pagar contas de luz, água, cestas básicas, advogados e até cirurgias é levantada em ofertas voluntárias. Na primeira igreja em que congreguei, os irmãos se reuniram com recursos e mão de obra para construir uma casa. A beneficiada, uma senhora já na casa dos 80 anos, teve naquela pequena residência a sua primeira casa própria. A rede

---

[4] Juliano Spyer, *O povo de Deus: Quem são os evangélicos e por que eles importam* (São Paulo: Geração Editorial, 2020), p. 113.

CONCLUSÃO **123**

de solidariedade ajuda a formar uma concha de proteção que o Estado muitas vezes é incapaz de fornecer, sobretudo em favelas e nos rincões do sertão.

As ações sociais são diversas. O longa-metragem *No ritmo do coração*, vencedor do Oscar de melhor filme em 2022, lembrou o desafio de comunicação das pessoas com deficiência auditiva. Os evangélicos são ativos no ensinamento e na prática da linguagem de sinais em cultos há bastante tempo. Eu mesmo já presenciei a apresentação de grupos musicais em linguagem de libras em um culto. Ainda podemos lembrar a distribuição de alimento, as casas de recuperação de dependentes químicos e a ação pastoral nas prisões. O sistema carcerário brasileiro é um caos já conhecido e fomentador de facções criminosas. Os evangélicos que atuam em prisões incentivam a conversão que produz, ao mesmo tempo, agregação e pacificação em um ambiente dividido pelo ódio mortal das gangues.

E, por último, o legado social mais importante dos evangélicos no Brasil é a criação contínua de uma pluralidade democrática pela quebra de consensos. De todos os legados, esse é o mais tímido, e talvez fracasse sem a disposição dos atores envolvidos em sua construção continuada pela sabedoria e pela prudência. O consenso acrítico da democracia sem povo faz mal para a democracia moderna no longo prazo. Nas democracias sadias, a tensão sem rompimentos entre conservadores e progressistas é essencial para a qualificação e estruturação das instituições democráticas. Os evangélicos estão ajudando a formar um arcabouço político conservador e popular no Brasil — e isso é uma boa notícia até mesmo para os progressistas, porque essa formação envolve gente das beiras, gente pobre e gente que não tinha voz. Nesse processo teremos o efeito colateral da perturbação contínua de conservadores extremados

124 QUEM TEM MEDO DOS EVANGÉLICOS?

sem cultura dialógica, além de uma direita ultranacionalista, reacionária e antidemocrática. Mas o avanço evangélico conservador popular também permite a criação de um grupo sólido e crescente de conservadores moderados e dialogais. Conservadores e progressistas que dialogam, apesar das divergências, serão capazes de criar um clima político respirável. O Brasil necessita urgentemente disso.

Para você, leitor não evangélico, concluo dizendo que não representamos uma ameaça à democracia mais pelos nossos defeitos do que pelas nossas qualidades. A equação é simples: nenhum grupo excessivamente dividido em inúmeros projetos pessoais de poder consegue criar autoritarismos eficientes e, muito menos, totalitarismos. Ao mesmo tempo, essa competição interna garante um crescimento alongado dos evangélicos brasileiros. O mercado livre das denominações evangélicas é fonte de competitividade, produtividade e criatividade. Paradoxalmente, nossos defeitos produzem boas notícias. Qualquer democracia moderna só tem a ganhar com a hegemonia de uma religiosidade internamente fragmentada.

Todavia, diante de tudo o que foi exposto, é necessário lembrar que nenhum legado é puro. E, por fim, encerro falando aos meus irmãos evangélicos. Hoje o quadro é tenebroso, não para a democracia, mas para a igreja. Os escândalos escoam como rio caudaloso. Os pastores que se envolvem com a política partidária caem nos vícios e pecados que deixam o mais depravado dos homens escandalizado. A vida é complexa, cheia de nuances e zonas cinzentas. O mesmo ocorre com as trilhas do povo de Deus. O joio se mistura ao trigo. O adversário adentra a corte celestial com seu cinismo e violência. Os evangélicos, que vieram para ficar, em um futuro não tão distante enfrentarão a estagnação do movimento, especialmente

CONCLUSÃO **125**

como resultado de suas escolhas políticas e sociais equivocadas. Os pecados públicos e sociais são muitos — e pesam na balança de Javé. Mas a crise que estamos construindo para o futuro da igreja evangélica talvez seja a oportunidade para a reflexão aprofundada e para o arrependimento. Israel se saiu melhor depois do exílio babilônico. A igreja evangélica ainda enfrentará as consequências de seus pecados, sobretudo do pecado diabólico que respira ferozmente a ânsia pelo poder terreno. Depois do juízo, porém, virá a redenção! Ainda há esperança e ainda há inúmeros remanescentes fiéis — que estão orando e buscando ao Senhor a despeito das negociatas em Brasília. Há esperança que a crise que contratamos para o futuro nos leve às raízes da piedade e do amor pelo nosso Senhor e Salvador Jesus Cristo. O Dia do Senhor chegará para o acerto de contas.

Sobre o autor

Gutierres Fernandes Siqueira é graduado em Comunicação Social pela Faculdade Paulus (FAPCOM), pós-graduado em Mercado de Capitais pela Universidade Presbiteriana Mackenzie e em Interpretação Bíblica pela Faculdades Batista do Paraná (FABAPAR). É autor de *Revestidos de Poder*, *O Espírito e a Palavra* (CPAD) e *Reino dividido* (Godbooks) e coautor de *Autoridade bíblica e experiência no Espírito* (Thomas Nelson Brasil). É membro da Assembleia de Deus, Ministério do Belém, em São Paulo.

Compartilhe suas impressões de leitura,
mencionando o título da obra, pelo e-mail
opiniao-do-leitor@mundocristao.com.br
ou por nossas redes sociais

Esta obra foi composta com tipografia Palatino
e impressa em papel Pólen Natural 70 g/m² na gráfica Imprensa da Fé